孔子学院总部/国家汉办
Confucius Institute Headquarters(Hanban)

M000275361

标准教程
STANDARD COURSE
HSK

主编： 姜丽萍
LEAD AUTHOR: Jiang Liping

编者： 张军、董政
AUTHORS: Zhang Jun, Dong Zheng

4下
练习册 **Workbook**

北京语言大学出版社
BEIJING LANGUAGE AND CULTURE
UNIVERSITY PRESS

使用说明

《HSK 标准教程 4 练习册》与《HSK 标准教程 4》配套使用，目的是与 HSK 考试接轨，主要训练学生的听力、阅读和书写能力。全书分上、下册，共 20 课。每课设置听力、阅读和书写三个部分。

1. **听力**。听力部分包括听一小段话判断句子对错、听短对话和问题选择正确答案、听长对话和问题选择正确答案三个部分。

2. **阅读**。阅读部分包括读句子和对话选词填空、排列短句组成语段、读短文和问题选择正确答案三个部分。

3. **书写**。书写部分包括排列词语组成句子、看图用所给词语造句两个部分。

上册练习册附录部分提供 HSK（四级）中英文介绍，方便学习者全面了解该等级考试的基本情况；下册练习册附录部分提供 HSK（四级）模拟试卷一套，尽量涵盖课本 20 课所学的生词及语言点，学习者可通过模拟试卷进行 HSK（四级）真实考试的考前检测。

本练习册的试题题型、题目长短、语言风格及格式与真题完全一致。题目数量根据真题进行了比例上的缩减（参见下图两个表格的比较）。这样既保证了学习者练习的数量和质量，又可以让学习者在平日学习中接触到真题题型，参加 HSK 考试时不需要再花额外的时间熟悉题型。

HSK（四级）考试内容（100题）

考试内容		试题数量（个）		考试时间（分钟）
一、听力	第一部分	10	45	约 30
	第二部分	15		
	第三部分	20		
填写答题卡				5
二、阅读	第一部分	10	40	40
	第二部分	10		
	第三部分	20		
三、书写	第一部分	10	15	25
	第二部分	5		
共计	/	100		约 100

全部考试约 105 分钟（含考生填写个人信息时间 5 分钟）。

本练习册各课练习内容（50题）

练习内容		练习题量（个）		练习时间（分钟）
一、听力	第一部分	5	22	约 15
	第二部分	7		
	第三部分	10		
二、阅读	第一部分	8	21	约 20
	第二部分	4		
	第三部分	9		
三、书写	第一部分	5	7	约 15
	第二部分	2		
共计	/	50		约 50

　　练习册各课的考查内容包括当课和前几课的主要生词、语言点和旧字新词，并融入新的旧字新词，为学生创造更多理解新词语的机会。本练习册的练习，教师根据总课时数，既可以带领学生在课上完成，也可以以作业的形式布置给学生。完成练习后，学生可对照答案（见本级教师用书或登录网站 www.blcup.com 获取）自测学习效果。

　　以上是对本练习册使用方法的一些说明和建议，教师在教学过程中可以根据实际情况灵活使用。本练习册是一、二、三级练习册的延续，在形式和难度上都有提升，话题也更加丰富，即便是已经学过的话题，再次涉及时也选择用更复杂的句型和更丰富的词汇加以输出，让学习者可以尽快获得成就感，这也是编者的初衷。我们相信，学完这一级别的课本和练习册，学习者可以顺利通过 HSK（四级）考试，继续稳步提高汉语水平；同时，从听说读写四个方面为学习者步入中级阶段——五级打下扎实、牢固的基础。

目 录

读书好，读好书，好读书

一、听 力

第一部分   💿 *11-1*

第1-5题：判断对错。

例如：我想去办个信用卡，今天下午你有时间吗？陪我去一趟银行？

★ 他打算下午去银行。 　　　　　　　　　　　　　　 （ √ ）

现在我很少看电视，其中一个原因是，广告太多了，不管什么时间，也不管什么节目，只要你打开电视，总能看到那么多的广告，浪费我的时间。

★ 他喜欢看电视广告。 　　　　　　　　　　　　　　 （ × ）

1.　★ 大多数孩子喜欢爸爸给他读书。 　　　　　　　 （ √ ）

2.　★ 他被那个故事感动了。 　　　　　　　　　　　 （ √ ）

3.　★ 要多跟人交流。 　　　　　　　　　　　　　　 （ √ ）

4.　★ 他现在是翻译。 　　　　　　　　　　　　　　 （ ✗ ）

5.　★ 老师让大家留下美好的回忆。 　　　　　　　　 （ √ ）

第二部分 🔘 11-2

第 6–12 题：请选出正确答案。

例如： 女：该加油了，去机场的路上有加油站吗？

男：有，你放心吧。

问：男的主要是什么意思？

	A 去机场	B 快到了	C 油是满的	D 有加油站 ✓

6. A 专业　　B 学校　　Ⓒ 兴趣（xìngqù）　　D 老师

7. A 很复杂　　B 不会猜　　Ⓒ 没听懂　　D 没人教

8. A 手机　　B 关教授　　C 笔记　　D 电话号码

9. A 面试很重要　　B 不用担心面试　　C 不能改变顺序　　D 下次早点儿来

10. A 没去上课　　B 没记准新词　　C 没听懂语法　　D 没带笔记

11. A 小说很贵　　B 应该买报纸　　C 男的不爱看书　　D 书在桌子上

12. A 结果不重要　　B 比赛有意思　　C 没赢很难过　　D 时间来得及

第三部分　　💿 11-3

第13–22题：请选出正确答案。

例如：　男：把这个材料复印 5 份，一会儿拿到会议室发给大家。

　　　　女：好的。会议是下午三点吗？

　　　　男：改了。三点半，推迟了半个小时。

　　　　女：好，602 会议室没变吧？

　　　　男：对，没变。

　　　　问：会议几点开始？

　　　　A　两点　　　　　B　3 点　　　　　C　15：30 ✓　　　D　18：00

13.　　A　比较难　　　　Ⓑ　应该改　　　C　可以猜　　　　D　没问题

14.　　A̶　汉语说得不太好　　　　　　　Ⓑ　知道很多汉语词

　　　　C　觉得女的很厉害　　　　　　　D̶　刚刚开始学汉语

15.　　A̶　用很长时间　　B　多看材料　　Ⓒ　复习主要的　　D　注意语法

16.　　A　讲故事　　　　B　做蛋糕　　　Ⓒ　看完书　　　　D　做计划

17.　　A　送材料　　　　B　取报纸　　　C　还杂志　　　　D　送礼物

18.　　A　内容精彩　　　B　图片漂亮　　C　价格便宜　　　D　很吸引人

19.　　A　获得机会　　　B　选择新闻　　C　关心大家　　　D　及时看报

20.　　A　所有的消息　　B　刚获得的消息　C　生活中的事　　D　大家关心的热点

21.　　A　很诚实　　　　B　汉语很好　　C　想当翻译　　　D　爱开玩笑

22.　　A　问同学　　　　B　问老师　　　C　查词典　　　　D　放在一边

二、阅读

第一部分

第 23-26 题：选词填空。

A 否则　　B 只好　　C 看法　　D 坚持　　E 然而

例如：她每天都（ D ）走路上下班，所以身体一直很不错。

23.　我们原计划去打篮球的，可是忽然刮起了大风，现在（　　）留在家里上网了。

24.　我跟你的（　　）正好相反，感觉什么都说了，却都只说了一点点。

25.　笨人总是把简单的问题说复杂，（　　），聪明人却能把复杂的问题解释得清楚而简单。

26.　我建议你暂时先别考虑出国留学，至少你得先把外语学好，（　　），在国外和人交流都会有困难。

第 27–30 题：选词填空。

　　　A 猜　　B 顺序　　C 温度　　D 厉害　　E 著名

例如：A：今天真冷啊，好像白天最高（　C　）才 2℃。

　　　B：刚才电视里说明天更冷。

27.　A：小高，你把这些材料按照时间（　　　）放好，下班前交给我就行。

　　　B：没问题，弄完后我就送到您办公室。

28.　A：他的汉语说得很流利，真让人羡慕。

　　　B：他是翻译，当然很（　　　）。

29.　A：对不起，刚才我在会议室开会，没办法接电话。

　　　B：没关系，我（　　　）你也在忙，没打扰你吧？

30.　A：老王，我今晚要加班，这张票浪费了就可惜了，要不你去看吧。

　　　B：太谢谢你了！听说这次演出邀请了许多（　　　）的演员，很精彩的。

标准教程 4（下）练习册

第二部分

第 31-34 题：排列顺序。

例如： A 可是今天起晚了

B 平时我骑自行车上下班

C 所以就打车来公司   B A C

31. A 我们身边的图书越来越多

B 只好选择其中特别感兴趣的来阅读

C 而每个人时间是有限的

_____

32. A 否则读书对自己就没有什么帮助了

B 不能完全相信书本

C 看书时应该有自己的想法和判断

_____

33. A 有些书可以很快地读

B 读书应该有选择

C 然而，有些书却需要多花时间来认真读

_____

34. A 这样不但能使学生增长知识

B 还能提高他们的理解能力和写作水平

C 养成课外阅读的习惯很重要

_____

第三部分

第35-43题：请选出正确答案。

例如： 她很活泼，说话很有趣，总能给我们带来快乐，我们都很喜欢和她在一起。

　　★ 她是个什么样的人？

　　　　A 幽默 ✓　　　B 马虎　　　　　C 骄傲　　　　　D 害羞

35. 他总说自己特别喜欢看书，可是这本书他看了一个月才看到第5页，也许是因为他工作太忙。但一个真正爱看书的人总能找出时间来阅读。

　　★ 根据这段话，可以知道他：

　　　　A 看书很认真　　　B 工作很忙　　　C 不是真正爱看书　　D 没有时间看书

36. 我刚刚收到王校长发给我的电子邮件，说他最近病了，咳嗽得很厉害，医生让他多休息，但他还是坚持工作，翻译了一本关于中国历史的书。

　　★ 根据这段话，可以知道王校长：

　　　　A 身体一直很好　　　B 工作很努力　　　C 电子邮件很多　　　D 爱读中国历史

37. 3月7日上午，我在体育馆打羽毛球时，丢了一个咖啡色书包，里面有笔记本电脑、钥匙和几本杂志，请拿到包的人与我联系。非常感谢！

　　★ 这个人写这段话是为了：

　　　　A 表示感谢　　　B 想打羽毛球　　　C 找他的东西　　　D 介绍他的书包

38. 让人想不到的是，这本小说的作者竟然是位80后的年轻人，他写这本书时才上高中二年级。尽管年龄不大，但他对生活的认识却比这个年龄的人深得多。

　　★ 这本小说的作者：

　　　　A 对生活认识很深　　　　　　B 喜爱高中的生活

　　　　C 写书时高中毕业了　　　　　D 已经80岁了

39. 我最喜欢读的就是这份报纸，它的内容非常丰富，同时，广告也很少。最重要的是，上面的经济方面的新闻对我的工作很有帮助。

　　★ 他喜欢这份报纸的原因之一是：

　　A 免费　　　　　B 价格低　　　　　C 广告少　　　　　D 笑话多

40-41.

　　有位名人说："要想知道自己长得什么样，衣服穿得合不合适，只要照照镜子就知道了；要想知道自己的缺点是什么，就需要了解别人对你有哪些不好的看法。"所以我们应该以那些说真话的人为"镜子"，这样才能及时发现自己的缺点，提高自己。

　　★ 根据这段话，哪种人是我们的"镜子"？

　　A 爱买衣服的人　　B 爱照镜子的人　　C 爱聊天儿的人　　D 说真话的人

　　★ 这段话主要说：

　　A 人和人的关系　　B 怎么发现缺点　　C 买衣服的条件　　D 照镜子的方法

42-43.

　　关于读书，有两点必须要注意：第一，应该养成爱阅读的好习惯。读书会让你的知识更丰富，生活更精彩。第二，自己不花时间去想，完全相信并且接受书上写的，这是不对的，因为书上的知识和想法并不总是正确的。否则，读书对自己就没什么帮助。

　　★ 阅读可以使人：

　　A 很快变富　　　　B 增加知识　　　　C 更有耐心　　　　D 变得有计划

　　★ 根据这段话，读书要：

　　A 相信写书的人　　B 多做读书笔记　　C 有自己的看法　　D 经常帮助别人

三、书 写

第一部分

第 44-48 题：完成句子。

例如：那座桥　　800 年的　　历史　　有　　了

　　　　那座桥有 800 年的历史了。

44.　　你在　　说明书　　要　　使用　　之前　　仔细阅读

45.　　页　　这本　　一共　　多　　小说　　二百

46.　　我们　　想复杂　　了　　把　　简单的　　事情

47.　　很多　　开始　　那篇　　注意　　文章　　人

48.　　这种　　能　　减轻　　方法　　有效地　　压力

第二部分

第 49–50 题：看图，用词造句。

例如：　　　　　　　　乒乓球　　　她很喜欢打乒乓球。

49.　　　　　　　　　　精彩

50.　　　　　　　　　　养成

12 用心发现世界

一、听 力

第一部分　🔘 12-1

第1–5题：判断对错。

例如：我想去办个信用卡，今天下午你有时间吗？陪我去一趟银行？

　　　★ 他打算下午去银行。　　　　　　　　　　（ ✓ ）

　　　现在我很少看电视，其中一个原因是，广告太多了，不管什么时间，也不管什么
节目，只要你打开电视，总能看到那么多的广告，浪费我的时间。

　　　★ 他喜欢看电视广告。　　　　　　　　　　（ × ）

1.　★ 他决定离开北京。　　　　　　　　　　　　（　　）

2.　★ 做计划一定要很详细。　　　　　　　　　　（　　）

3.　★ 他不想再乱买东西了。　　　　　　　　　　（　　）

4.　★ 现在人们更喜欢看报纸。　　　　　　　　　（　　）

5.　★ 做事情方法很重要。　　　　　　　　　　　（　　）

第二部分　🔘 12-2

第 6-12 题：请选出正确答案。

例如：女：该加油了，去机场的路上有加油站吗？

男：有，你放心吧。

问：男的主要是什么意思？

A 去机场　　　B 快到了　　　C 油是满的　　　D 有加油站 √

6. A 买了勺子　　　B 喜欢上网　　　C 力气很大　　　D 拿不动箱子

7. A 还有机会赢　　B 比赛结束了　　C 男的进球了　　D 那个球没进

8. A 语言环境好　　B 经济条件好　　C 学习更认真　　D 会一些外语

9. A 都是她的错　　B 被误会了　　　C 不负责任　　　D 负责那件事

10. A 刚刚搬走　　　B 有很多时间　　C 喜欢逛街　　　D 不熟悉环境

11. A 去北京饭店　　B 参加会议　　　C 打几个电话　　D 去学校找人

12. A 应该努力赚钱　B 要过好的生活　C 不能随便花钱　D 时间才最重要

第三部分　 📀 12-3

第 13-22 题：请选出正确答案。

例如：男：把这个材料复印 5 份，一会儿拿到会议室发给大家。

女：好的。会议是下午三点吗？

男：改了。三点半，推迟了半个小时。

女：好，602 会议室没变吧？

男：对，没变。

问：会议几点开始？

A 两点　　　B 3点　　　C 15：30 √　　　D 18：00

13.　A 买了相机　　B 相机不贵　　C 没有说明书　　D 正在照相

14.　A 律师　　B 经理　　C 老师　　D 服务员

15.　A 明天七节课　　B 九点下课　　C 和男的一起上课　　D 能参加招聘会

16.　A 律师　　B 警察　　C 教师　　D 作家

17.　A 喜欢猫　　B 要找王明　　C 爱开玩笑　　D 觉得奇怪

18.　A 坐地铁　　B 坐出租车　　C 自己开车　　D 坐公共汽车

19.　A 说话少的　　B 做事多的　　C 会交流的　　D 有想法的

20.　A 同意　　B 反对　　C 支持　　D 理解

21.　A 常晚到　　B 没戴手表　　C 不喜欢开车　　D 没来上班

22.　A 送司机新手表　B 相信司机的解释　C 司机不能再迟到　D 找新司机了

二、阅读

第一部分

第 23-26 题：选词填空。

A 并且　　B 任务　　C 引起　　D 坚持　　E 也许

例如：她每天都（　D　）走路上下班，所以身体一直很不错。

23.　有些人朋友不多，（　　　）只有一两个，但他们永远能相互理解和支持。

24.　人与人之间如果缺少交流，很可能会（　　　）不小的误会。

25.　我的看法是这个（　　　）没有那么困难，关键是要清楚我们主要想做什么，找到
　　　最重要的问题。

26.　出门的时候，天气还很好。没想到半路上突然就下雨了，（　　　）越下越大，一点
　　　儿停的意思都没有。

第 27–30 题：选词填空。

A 规定　　B 商量　　C 温度　　D 意见　　E 力气

例如：A：今天真冷啊，好像白天最高（　C　）才 2℃。

　　　B：刚才电视里说明天更冷。

27.　A：这次遇到这么大的事情，我该怎么办呢？

　　　B：别担心，我叔叔是律师，这个问题他应该可以提供一些比较专业的（　　　），

　　　　　我帮你问问，有消息我就告诉你。

28.　A：小张，你有什么意见？

　　　B：按照现在的情况，想要在（　　　）时间内完成计划，好像有点儿困难。

29.　A：上次我跟你说的那件事，你跟你丈夫详细谈了吗？

　　　B：还没跟他（　　　）呢，他最近在忙公司的事情，过几天再说吧。

30.　A：爷爷您年龄大了，以后搬东西这些事情您别做了，就交给我们吧。

　　　B：你们放心，我身体很好，还有（　　　）搬。

第二部分

第 31–34 题：排列顺序。

例如： A 可是今天起晚了

　　　 B 平时我骑自行车上下班

　　　 C 所以就打车来公司　　　　　　　　　　　　　B A C

31.　　A 这种事情一直在发生，谁也不能改变

　　　 B 地球上每分钟都有新的生命出现

　　　 C 也有老的生命死去　　　　　　　　　　　　　_____

32.　　A 很多人以为误会是小事，不去解决它

　　　 B 其实相反，误会需要我们及时解释清楚

　　　 C 两个人在一起，总会出现一些误会　　　　　 _____

33.　　A 以上就是我们这次啤酒节的活动内容

　　　 B 对于这个活动安排，我们可以一起商量

　　　 C 大家还有什么好的主意或意见尽管提　　　　 _____

34.　　A 人们常说"友谊地久天长"

　　　 B 能够一直继续下去，直到永远

　　　 C 意思是希望友好关系　　　　　　　　　　　 _____

第三部分

第35–43题：请选出正确答案。

例如： 她很活泼，说话很有趣，总能给我们带来快乐，我们都很喜欢和她在一起。

　　★ 她是个什么样的人？

　　　　A 幽默 √　　　　B 马虎　　　　C 骄傲　　　　D 害羞

35. 有些故事，不光能给人带来快乐，还有教育的作用，能使人们在笑过之后重新认识一些问题。

　　★ 这段话主要讲故事的：

　　　　A 作用　　　　B 能力　　　　C 关键　　　　D 历史

36. 这座楼一共有 28 层，为了节约您的时间，1 号和 2 号电梯最高只能到 16 层；3 号、4 号电梯 17 层以下不停，直接到 17-28 层，如果您要到 1-16 层，请坐西边的 1 号和 2 号电梯。

　　★ 1 号电梯可以去哪一层？

　　　　A 16　　　　B 17　　　　C 18　　　　D 19

37. 按照经验，人们往往认为夏天应该多穿白色衣服。但有研究证明，其实穿红色的更好。因为红色能更好地保护皮肤。

　　★ 根据这段话，可以知道：

　　　　A 红色更好看　　　　　　　　B 白色对皮肤好

　　　　C 经验有时不对　　　　　　　D 应该研究问题

38. 很多自行车后面都有一个灯，虽然小，但用处却很大。每当后面汽车的灯光照到它时，它就会反光，这样就能提醒司机前方有人。

　　★ 自行车后灯可以：

　　　　A 让人骑得更快　　　　　　　B 让堵车情况变少

　　　　C 节约用电　　　　　　　　　D 引起司机注意

39. 三叶草的叶子一般为三个，但有时也会出现 4 个叶子的，这种 4 个叶子的叫"四叶草"，因为很少见，所以有人说，找到这种"四叶草"的人会得到幸福。

    ★ 四叶草：

    A 很香　　　　　B 非常矮　　　　　C 不常见　　　　　D 表示友谊

40-41.

　　回忆人人都有，是生活中不可缺少的，但我们不能总是活在回忆里，尤其不能总是想着那些不愉快的回忆。过去发生的已经不能改变，重要的是现在。所以，我们应该认真做好眼前的事，这样才能走好以后的路。

    ★ 关于回忆，下列哪个正确？

    A 常被忘记　　　　　　　　　B 使人后悔

    C 让人烦恼　　　　　　　　　D 大家都有

    ★ 根据这段话，我们应该：

    A 做好现在的事　　　　　　　B 经常总结过去

    C 认真帮助别人　　　　　　　D 努力改变过去

42-43.

　　有个人总是买最大号的鞋子穿，别人问他，他就会回答："商店里的大鞋小鞋是一样的价格，为什么不买大的呢？"然而他却忘记了一点，不合脚的鞋子会让他一生都不舒服。其实，不管什么，适合自己的才是最好的。

    ★ 那个人：

    A 脚很大　　　　B 讨厌穿鞋　　　　C 很聪明　　　　D 总穿大号的鞋

    ★ 这段话主要告诉我们什么？

    A 不能粗心　　　　B 合适最重要　　　　C 要学会拒绝　　　　D 要养成好习惯

三、书写

第一部分

第 44-48 题：完成句子。

例如：那座桥　　800 年的　　历史　　有　　了

那座桥有 800 年的历史了。

44.　　这件事　　他们　　看法　　完全相反　　的　　对于

45.　　叶子　　光　　掉　　树上的　　已经　　了

46.　　注意　　警察的　　一条消息　　引起　　网上的　　了

47.　　做的　　今天　　菜　　放　　盐　　多了

48.　　他　　态度　　对　　友好　　非常　　我的

第二部分

第 49-50 题：看图，用词造句。

例如：　　　　　　　乒乓球　　　她很喜欢打乒乓球。

49.　　　　　　　保护

50.　　　　　　　仔细

喝着茶看京剧

一、听 力

第一部分 　🔘 *13-1*

第1–5题：判断对错。

例如： 我想去办个信用卡，今天下午你有时间吗？陪我去一趟银行？

　　　★ 他打算下午去银行。　　　　　　　　　　（ ✓ ）

　　　现在我很少看电视，其中一个原因是，广告太多了，不管什么时间，也不管什么节目，只要你打开电视，总能看到那么多的广告，浪费我的时间。

　　　★ 他喜欢看电视广告。　　　　　　　　　　（ × ）

1.　★ 演出已经结束了。　　　　　　　　　　（　　）

2.　★ 他介绍得很详细。　　　　　　　　　　（　　）

3.　★ 他们决定不去植物园了。　　　　　　　　（　　）

4.　★ 应该总结过去的经验。　　　　　　　　　（　　）

5.　★ 现在是十点一刻。　　　　　　　　　　（　　）

第二部分　🔘 13-2

第 6-12 题：请选出正确答案。

例如：女：该加油了，去机场的路上有加油站吗？

男：有，你放心吧。

问：男的主要是什么意思？

A 去机场　　　B 快到了　　　C 油是满的　　　D 有加油站 √

6.　A 值得去看　　B 没有观众　　C 没什么意思　　D 越来越有趣

7.　A 饿了　　　B 感冒了　　　C 害怕了　　　D 去医院了

8.　A 很无聊　　B 很有趣　　　C 很有名　　　D 很流行

9.　A 明天　　　B 下周日　　　C 过完生日　　　D 现在

10.　A 时间　　　B 地方　　　C 演员　　　D 节目

11.　A 孙叔叔　　B 邻居　　　C 王阿姨　　　D 李大夫

12.　A 正在开会　B 来自上海　　C 比较满意　　D 还在旅游

第三部分　🔲 *13-3*

第 13–22 题：请选出正确答案。

例如：男：把这个材料复印 5 份，一会儿拿到会议室发给大家。

　　　女：好的。会议是下午三点吗？

　　　男：改了。三点半，推迟了半个小时。

　　　女：好，602 会议室没变吧？

　　　男：对，没变。

　　　问：会议几点开始？

　　　A 两点　　　　　B 3 点　　　　C 15：30 √　　D 18：00

13.　A 宾馆　　　　　B 公司　　　　C 教室　　　　D 公园

14.　A 心情　　　　　B 计划　　　　C 演出　　　　D 演员

15.　A 生病了　　　　B 不常运动　　C 想喝水　　　D 力气不大

16.　A 听音乐会　　　B 看京剧　　　C 去交流处　　D 看王老师

17.　A 图书馆里　　　B 地铁站口　　C 图书馆门口　D 地铁上

18.　A 爱喝茶　　　　B 喜欢京剧　　C 会唱京剧　　D 是中国人

19.　A 高兴　　　　　B 新鲜　　　　C 感动　　　　D 无聊

20.　A 在饭馆儿工作　B 是中国人　　C 不会用筷子　D 看不懂说明

21.　A 应该长远考虑　B 要做详细计划　C 总在不停变化　D 不会顺利进行

22.　A 坚持以前的看法　　　　　　　B 回忆原来的事情

　　　C 做出长远计划　　　　　　　　D 改变旧的计划

二、阅 读

第一部分

第 23-26 题：选词填空。

　　　A 偶尔　　B 进行　　C 部分　　D 坚持　　E 吃惊

例如：她每天都（ D ）走路上下班，所以身体一直很不错。

23.　那部小说中提到的故事，大（　　）都是作者自己经历过的。

24.　除了星期天外，小李大部分时间都在教室学习，（　　）也去图书馆看看书。

25.　她去参加比赛，本来只是想去试试，没想到竟然得了第一名，这让大家非常（　　）。

26.　成功的语言学习者，在学习方面往往都比较积极，他们愿意与他人（　　）
　　交流，并且请别人帮助他们改错。

第27-30题：选词填空。

　　　　A 餐厅　　B 稍微　　C 温度　　D 申请　　E 大概

例如：A：今天真冷啊，好像白天最高（　C　）才2℃。
　　　B：刚才电视里说明天更冷。

27.　　A：小云，你今年夏天就要毕业了，找到工作了吗？
　　　　B：没有，我已经（　　　）了奖学金，打算出国读硕士。

28.　　A：这次放假，你打算去三亚多长时间？
　　　　B：（　　　）两个星期吧，估计月底就能回来。

29.　　A：刚才在（　　　）和你说话的那个女孩儿是谁？
　　　　B：小李啊，新来的同事。新年晚会上我们俩一起表演的节目。

30.　　A：下午交工作总结，你写好了没有？
　　　　B：差不多了，有几个地方我还要（　　　）改一下。

第二部分

第 31-34 题：排列顺序。

例如： A 可是今天起晚了

B 平时我骑自行车上下班

C 所以就打车来公司

B A C

31. A 写得特别详细，而且十分有趣

B 这本杂志介绍了中国很多著名的景点

C 其中介绍黄河的那一篇

_____

32. A 随着科技的发展，人与人的联系越来越方便

B 上网发电子邮件越来越普遍

C 相反，写信的人变得越来越少了

_____

33. A 不仅内容十分丰富

B 观众普遍认为这部电影不错

C 演员们演得也非常好

_____

34. A 上次的春游活动小夏组织得不错

B 这次还是由她来负责安排吧

C 大家都玩儿得很高兴

_____

第三部分

第35-43题：请选出正确答案。

例如：　她很活泼，说话很有趣，总能给我们带来快乐，我们都很喜欢和她在一起。

　　　★ 她是个什么样的人？

　　　　A　幽默 ✓ 　　B　马虎 　　　　C　骄傲 　　　　D　害羞

35.我们对失败应该有正确的认识。偶尔的失败其实可以让我们清楚自己还有什么地方需
　　要提高，这可以帮助我们走向最后的成功。

　　★ "这" 指的是：

　　　　A　仔细考虑 　　　B　积极参加 　　　C　失败结果 　　　D　正确认识

36.我来北京以前，已经学过一段时间汉语。所以，对我来说，一年级的汉语课，听和说
　　很容易，只是写汉字有点儿难，需要多练习几遍。

　　★ 关于他，可以知道什么？

　　　　A　是北京人 　　　B　学过汉语 　　　C是汉语老师 　　　D　不会说中文

37.研究发现，有些吃的或喝的，如牛奶和香蕉，可以帮助入睡。而有些东西，如咖啡、
　　茶，容易使人兴奋，影响正常的休息。

　　★ 根据这段话，喝什么会让人兴奋？

　　　　A　咖啡 　　　　B　牛奶 　　　　C　果汁 　　　　D　啤酒

38.正式的邀请信当然要由举办者写，信中首先要说明活动的详细内容，然后要对被邀请
　　的人的能力表示肯定，并说明他们被邀请参加活动的原因，最后希望他们能够参加。

　　★ 关于邀请信，可以知道：

　　　　A　邀请效果很好 　　　　　　　B　不用写得太详细

　　　　C　请专门的公司写 　　　　　　D　要肯定被邀请人

39. 一些电影院不让观众自己带吃的、饮料，人们不得不买电影院卖的东西。很多观众对这种做法很不满意，因为电影院的东西特别贵，大约比超市贵三倍。

    ★ 观众对什么不满意？

    A 票价高　　　　B 座位少　　　　C 东西太贵　　　　D 电影不精彩

40-41.

　　在很多人看来，听流行音乐仅仅是年轻人的爱好，京剧、老歌才是老年人的最爱。其实，听听流行音乐对老年人也是很有好处的。流行音乐有很多种，老年人只要选择适合自己的，一样可以心情愉快，还能拉近和年轻人之间的距离。

    ★ 根据这段话，人们一般认为老年人喜欢：

    A 开玩笑　　　　B 流行音乐　　　　C 听过去的歌　　　　D 跟朋友见面

    ★ 关于流行音乐，可以知道什么？

    A 比京剧精彩　　　　B 让人变浪漫　　　　C 不适合老人　　　　D 有许多好处

42-43.

　　世界上第一部无声电影出现的时候，吸引了成千上万的观众。有个女观众看到电影中有一辆马车向自己跑过来，害怕得马上跑得远远的，直到那辆马车在画面中不见了，她才坐回来。有的观众看到电影里下雨的画面，把自己的雨伞也打了起来。现在我们都觉得挺好笑的，但是看电影在当时确实是个新鲜事儿。

    ★ 世界上第一部无声电影：

    A 很幽默　　　　B 不成功　　　　C 观众很多　　　　D 内容复杂

    ★ 那些观众看电影时为什么要打伞？

    A 误会了　　　　B 下雨了　　　　C 风太大　　　　D 害怕马车

三、书 写

第一部分

第 44–48 题：完成句子。

例如：那座桥   800 年的   历史   有   了

   那座桥有 800 年的历史了。

44. 那本   内容   杂志   丰富   十分   的

45. 了   出去   申请材料   寄   吗   你的

46. 演员   最   是   有名的   20 世纪   他

47. 的问题   超出   了   他说   讨论的   内容

48. 又   正常工作   电脑   能   终于   了

第二部分

第 49–50 题：看图，用词造句。

例如：　　　　　　　　　乒乓球　　她很喜欢打乒乓球。

49.　　　　　　　　　　演员

50.　□□□□　错误

14 保护地球母亲

一、听 力

第一部分 💿 14-1

第1-5题：判断对错。

例如： 我想去办个信用卡，今天下午你有时间吗？陪我去一趟银行？

★ 他打算下午去银行。 （ ✓ ）

现在我很少看电视，其中一个原因是，广告太多了，不管什么时间，也不管什么节目，只要你打开电视，总能看到那么多的广告，浪费我的时间。

★ 他喜欢看电视广告。 （ × ）

1. ★ 大家同意我的看法。 （ ✗ ）

2. ★ 超市提供免费塑料袋。 （ ✗ ）

3. ★ 年轻人应该相信自己。 （ ✓ ）

4. ★ 她不愿意用宾馆的毛巾。 （ ✓ ）

5. ★ 舞会上不要直接拒绝邀请。 （ ✓ ）

第二部分　　🔵 *14-2*

第 6–12 题：请选出正确答案。

例如：　女：该加油了，去机场的路上有加油站吗？

　　　　男：有，你放心吧。

　　　　问：男的主要是什么意思？

　　　　A　去机场　　　　B　快到了　　　　C　油是满的　　　　D　有加油站 √

6.　　A　很干净　　　　B　很脏　　　　C　很大　　　　D　打扫完了

7.　　A　带吃的　　　　B　放衣服　　　　C　扔垃圾　　　　D　送到山上

8.　　A　没调查完　　　　　　　　　　B　关于保护动物

　　　C　10% 的人不感兴趣　　　　　D　大部分人愿意参加

9.　　A　再使用　　　　B　扔垃圾桶　　　　C　打网球　　　　D　放垃圾

10.　 A　正在出差　　　B　忘了时间　　　C　不想见面　　　D　感到抱歉

11.　 A　牙刷　　　　B　牙膏　　　　C　饮料　　　　D　塑料袋

12.　 A　目的　　　　B　方法　　　　C　过程　　　　D　结果

第三部分 💿 *14-3*

第 13-22 题：请选出正确答案。

例如：男：把这个材料复印 5 份，一会儿拿到会议室发给大家。

女：好的。会议是下午三点吗？ *con pm*

男：改了。三点半，推迟了半个小时。 *push back*

女：好，602 会议室没变吧？

男：对，没变。

问：会议几点开始？

A 两点   B 3 点   C 15：30 ✓   D 18：00

13. A 挺舒服   B 正合适   C 更漂亮   (D) 容易脏 *zAng*

14. A 有人接女的   (B) 女的坐出租车回来的

    C̶ 男的写完材料了   D 女的帮男的检查

15. A 空调卖光了   B 这个月没有上个月热 ✓

    (C) 商场的活动很吸引人   D 空调卖得跟上个月一样多

16. A 他们一起回来的   B 家里停电了   C 邻居来了   (D) 灯有问题

17. A 他生病了   B 姐姐喜欢狗   (C) 他要出差   D 他周六加班

18. A 宾馆   B 图书馆   C 饭馆   (D) 体育馆

19. A 上班时间   B 堵车情况   C 城市区别   (D) 地铁优点

20. (A) 3 块   B 8 块   C 1 块   D 2 块

21. A 很紧张   (B) 没意思   C 很熟悉   D̶ 很简单

22. (A) 坚持很重要   B 非常困难   C 要多听意见   D 需要别人帮忙

二、阅读

第一部分

第 23-26 题：选词填空。

A 乘坐　　B 既然　　C 鼓励　　D 坚持　　E 地球
　　sits　　　　　　　　　gǔ lì

例如：她每天都（　D　）走路上下班，所以身体一直很不错。

23.　事情（　B　）已经发生了，光着急也没有用，你现在要做的是静下来，想想办法，这才是解决问题的关键。

24　我要特别感谢一直支持和帮助我的朋友们，没有他们的关心和（　C　），我是不可能取得今天这样的成绩的。

25.　现在有个通知，十一月七日上午八点有（　E　）环境研讨会，地点在图书馆三楼会议室，希望大家准时参加。

26.　我第一次（　A　）飞机的时候心里特别害怕，飞机起飞时，我一直抓（zhuā, to catch on）着前面的椅子不放。后来一提起这件事，朋友就开我的玩笑。
wán

第 27-30 题：选词填空。

A 扔　　B 以　　C 温度　　D 重　　E 行

例如：A：今天真冷啊，好像白天最高（　C　）才 2℃。
　　　B：刚才电视里说明天更冷。

27.　　A：我的感冒更（　　　）了，我明天想请一天假。
　　　B：没问题。你最好去医院看一下，吃点儿药也许就好了。

28.　　A：你要去买牙膏？那你顺便帮我买条毛巾好吗？
　　　B：（　　　），我一会儿就回来。

29.　　A：一会儿有客人要来，先别看电视了，去帮我把垃圾（　　　）了。
　　　B：好的，妈妈。是张阿姨要来吗？

30.　　A：小马，上次的工作你做得很好，所以想再交给你一个任务，希望你能完成。
　　　B：请您放心，我一定（　　　）最高的标准要求自己，把它做好。

第二部分

第 31–34 题：排列顺序。

例如： A 可是今天起晚了

B 平时我骑自行车上下班

C 所以就打车来公司　　　　　　　　　　　　　　B A C

31. A 我本来不太愿意做这件事

B 只能尽力去做了

C 可既然已经答应别人了　　　　　　　　　　　_____

32. A 一定不要到处乱扔

B 小朋友，你们都吃完了吗

C 吃完了就把盒子、瓶子、塑料袋都扔垃圾桶里　_____

33. A 那儿的花儿都开了，非常漂亮

B 这几天植物园特别热闹，随着天气变暖

C 吸引了很多人　　　　　　　　　　　　　　_____

34. A 所以我们必须节约用水、保护环境

B 地球提供给我们的水

C 并不是永远用不完的　　　　　　　　　　　_____

第三部分

第35-43题：请选出正确答案。

例如： 她很活泼，说话很有趣，总能给我们带来快乐，我们都很喜欢和她在一起。

★ 她是个什么样的人？

A 幽默 ✓　　B 马虎　　　　C 骄傲　　　　D 害羞

35. 很多人都说，刷牙时在牙膏上加点儿盐，坚持一段时间，就能使牙变白。我打算试试，看看这个方法是不是真的有效。

★ "这个方法"指的是：

A 坚持刷牙　　B 自备塑料袋　　C 皮肤增白法　　D 牙膏上加盐

36. 地球是我们共同的家，保护环境就是保护我们自己，为减少污染，我们应该养成节约的习惯，节约用水、节约用纸等等。

★ 节约用纸主要是为了：

A 保护环境　　B 减少用水　　C 改变地球　　D 发展经济

37. 山上的温度会随着高度的增加而降低，山越高气温越低。那里的山最高的大约有两千多米，所以明天爬山大家一定要多穿点儿衣服。

★ 他们明天最可能要去：

A 爬山　　　　B 游泳　　　　C 跑步　　　　D 上课

38. 无论成功还是失败，都只是暂时的。不要因一时的成功而得意，也不要因一时的失败而伤心，因为那些都已经过去，重要的是怎样过好将来的生活。

★ 什么才是更重要的？

A 态度　　　　B 将来　　　　C 过程　　　　D 结果

39. 新闻中使用数字的目的是通过它们来说明问题，所以这些数字必须是准确的。只有这样，才能证明内容的"真"，才是对读者负责。

★ 新闻中的数字：

A 不易理解　　　B 使用随便　　　C 让人相信　　　D 不能出错

40–41.

开车必须要记住以下三点：首先是方向，知道往哪儿开，才不会走错路；其次是开车的方法，只有知道怎么开，才能顺利找到目的地；当然，最重要的一点是注意速度，太快了不安全（ānquán，safe），太慢了会影响后面的车。开车看上去很简单，但一定得小心。

★ 根据这段话，开车最重要的是注意什么？

A 方向　　　　　B 速度　　　　　C 距离　　　　　D 安全

★ 根据这段话，可以知道什么？

A 开车越慢越好　B 学开车很容易　C 目的地别太远　D 开车必须小心

42–43.

现在，城市里越来越多的人开始放弃开车，走路上下班成为他们共同的生活习惯。人们放弃开车，各有各的原因。有的为了锻炼身体，有的为了节约钱，但不管是什么原因，这样都减少了道路堵车情况，而且连空气也变新鲜了。

★ 人们可能因为什么原因放弃开车？

A 更安全　　　　B 更健康　　　　C 省时间　　　　D 压力大

★ 放弃开车的人越来越多，现在：

A 开车难了　　　B 空气好了　　　C 更堵车了　　　D 车便宜了

三、书 写

第一部分

第 44–48 题：完成句子。

例如：那座桥　　800 年的　　历史　　有　　了

那座桥有 800 年的历史了。

44. 养成　　节约　　要　　用水　　好习惯　　的

45. 一个　　美丽的　　生活　　他　　在　　小城市

46. 这篇　　新闻　　关注　　了　　人们的　　引起

47. 里　　香蕉皮　　请　　垃圾桶　　扔进　　把

48. 不使用　　减少　　是　　污染　　为了　　塑料袋

第二部分

第 49–50 题：看图，用词造句。

例如：　　　　　　　乒乓球　　　她很喜欢打乒乓球。

49.　　　　　　　　扔

50.　　　　　　　　乘坐

教育孩子的艺术

一、听 力

第一部分　💿 15-1

第1–5题：判断对错。

例如：　我想去办个信用卡，今天下午你有时间吗？陪我去一趟银行？

　　　　★ 他打算下午去银行。　　　　　　　　　　　（ √ ）

现在我很少看电视，其中一个原因是，广告太多了，不管什么时间，也不管什么节目，只要你打开电视，总能看到那么多的广告，浪费我的时间。

　　　　★ 他喜欢看电视广告。　　　　　　　　　　　（ × ）

1.　★ 他做事比过去仔细了。　　　　　　　　　　（　　）

2.　★ 沙发上的袜子是旧的。　　　　　　　　　　（　　）

3.　★ 他今天六点就起床了。　　　　　　　　　　（　　）

4.　★ 孩子更容易获得快乐。　　　　　　　　　　（　　）

5.　★ 父母对孩子要讲信用。　　　　　　　　　　（　　）

第二部分　🔘 15-2

第 6–12 题：请选出正确答案。

例如：　女：该加油了，去机场的路上有加油站吗？

　　　　男：有，你放心吧。

　　　　问：男的主要是什么意思？

　　　　　A 去机场　　　　B 快到了　　　　C 油是满的　　　　D 有加油站 √

6.　　A 饿了　　　　　B 困了　　　　　C 累了　　　　　D 病了

7.　　A 力气很大　　　B 调查完了　　　C 拒绝帮助　　　D 在搬东西

8.　　A 护士　　　　　B 教师　　　　　C 经理　　　　　D 服务员

9.　　A 60元　　　　　B 70元　　　　　C 30元　　　　　D 免费

10.　　A 迟到了　　　　B 发烧了　　　　C 眼睛疼　　　　D 口渴了

11.　　A 教育　　　　　B 艺术　　　　　C 科学　　　　　D 自然

12.　　A 伤心　　　　　B 粗心　　　　　C 害羞　　　　　D 病了

第三部分　　🖸 15-3

第 13-22 题：请选出正确答案。

例如：男：把这个材料复印 5 份，一会儿拿到会议室发给大家。

　　　女：好的。会议是下午三点吗？

　　　男：改了。三点半，推迟了半个小时。

　　　女：好，602 会议室没变吧？

　　　男：对，没变。

　　　问：会议几点开始？

　　　A 两点　　　　　B 3点　　　　　C 15：30 √　　　D 18：00

13.　　A 会跳舞　　　B 羡慕女的　　　C 从小弹钢琴　　D 喜欢打篮球

14.　　A 一个月了　　B 喜欢照相　　　C 在叫爸妈　　　D 刚会说话

15.　　A 开车很快　　B 去机场接人　　C 担心时间不够　D 已经迟到了

16.　　A 很懒　　　　B 工作没做完　　C 提前回家了　　D 正在谈生意

17.　　A 脏了　　　　B 丢了　　　　　C 掉色了　　　　D 被女的扔了

18.　　A 取材料　　　B 开证明　　　　C 还杂志　　　　D 整理房间

19.　　A 一直很节约　B 比以前懂事了　C 参加工作了　　D 自己管理工资

20.　　A 更漂亮了　　B 更勇敢了　　　C 不乱花钱了　　D 不怕打针了

21.　　A 性格　　　　B 兴趣　　　　　C 健康　　　　　D 年龄

22.　　A 孩子的性格　B 教育的方法　　C 怎么鼓励孩子　D 表扬很重要

二、阅 读

第一部分

第 23–26 题：选词填空。

　　　　A 打针　　B 千万　　C 骄傲　　D 坚持　　E 儿童

例如：她每天都（　D　）走路上下班，所以身体一直很不错。

23.　我上网查了一下，按照规定，5 岁以下的（　　　　）必须有大人陪同，否则不能乘
　　　坐飞机。

24.　我儿子发烧了，我得送他去医院（　　　　），所以下午我不能去踢球了。

25.　明天早上 9 点在 5 层会议室准时开会，这次会议非常重要，大家（　　　　）不能迟到。

26.　他从 9 岁开始练习短跑，18 岁就获得了全国运动会 100 米第一名，大家都为他感
　　　到（　　　　）。

第 27–30 题：选词填空。

A 弄　　B 响　　C 温度　　D 合适　　E 故意

例如：A：今天真冷啊，好像白天最高（　C　）才 2℃。

B：刚才电视里说明天更冷。

27.　A：妈，您手机都（　　）了好几遍了，快接起来啊。

B：不用看也知道，肯定是你爸，你去接吧，就说我正在做午饭呢。

28.　A：她竟然连我姓什么都忘了。

B：真的假的？你不会是（　　）错了吧？

29.　A：你说她会原谅我吗？

B：放心吧，你也不是（　　）的，去跟她解释一下，她会理解的。

30.　A：今晚公司有活动，所有人都必须参加。帮我看看，我穿哪条裙子（　　）？

B：两条都不错，不过黑色的正式一些。

第二部分

第 31-34 题：排列顺序。

例如：A 可是今天起晚了

　　　B 平时我骑自行车上下班

　　　C 所以就打车来公司　　　　　　　　　　　　　　B　A　C

---

31. A 有些人会因为听到了真话而感到高兴

　　 B 直接说出反对意见或者看法

　　 C 而另一些人却会认为是批评而十分难过　　　＿＿＿＿＿＿

---

32. A 妈妈说我小时候特别害怕去医院打针

　　 B 我长大后竟然会选择当一名护士

　　 C 一看见医生就哭，她怎么都没想到　　　　　＿＿＿＿＿＿

---

33. A 我们的眼睛也可能会骗人

　　 B 其实，有时候实际情况要复杂得多

　　 C 人们往往相信自己眼睛看到的　　　　　　　＿＿＿＿＿＿

---

34. A 许多父母会直接告诉他们解决办法或者正确答案

　　 B 孩子在学习、生活中遇到问题的时候

　　 C 实际上，留出时间让他们自己去发现会更好　＿＿＿＿＿＿

第三部分

第35-43题：请选出正确答案。

例如： 她很活泼，说话很有趣，总能给我们带来快乐，我们都很喜欢和她在一起。

★ 她是个什么样的人？

A 幽默 ✓ 　　　 B 马虎 　　　　 C 骄傲 　　　　 D 害羞

35. 管理是一门艺术，仅是批评不会有好的效果。平时注意多跟别人交流，更多地了解别人，比如他的性格、爱好、脾气、能力等，这样才能根据每个人的特点选择合适的方法帮助他们提高，把工作做好。

★ 这段话想告诉我们，了解人们的脾气可以：

A 让人变得友好 　 B 获得大家表扬 　 C 增进同事友谊 　 D 提高管理水平

36. 下班刚进家就看到桌子上满满的都是我爱吃的菜。儿子走过来对我说："妈妈，祝您母亲节快乐！"我的心里特别感动，突然间觉得儿子长大了。

★ 根据这段话，可以知道什么？

A 菜点得多了 　　 B 儿子很感动 　　 C 母亲很幽默 　　 D 今天是母亲节

37. 能力不高没关系，只要能比别人早点儿开始，比别人更努力一些，同样可以成功。所以，不要因为自己是一只"笨鸟"而放弃，只要不懒，你也可以"飞得很高很远"。

★ "笨鸟"指的是：

A 很成功的人 　　 B 站得高的人 　　 C 比较懒的人 　　 D 能力不高的人

38. 新来的那名服务员，刚来不到一个星期，就熟悉了菜单上所有菜的名字，而且知道每道菜的味道和特点。虽然每天店里很忙，有时候连上厕所的时间都没有，但是他非常努力，干得也不错，来饭馆儿吃饭的客人对他都十分满意。

★ 新来的服务员：

A 刚来一星期 　　 B 工作很努力 　　 C 喜欢每道菜 　　 D 经常上厕所

39. 当你为自己取得的成绩而得意时，应该想到，有很多人比你更优秀，所以千万不要骄傲；同样，当你为自己的失败而伤心时，你也应该想到，别人也会失败，也会难过，所以千万不要难过，甚至怀疑自己。

   ★ 根据这段话，失败时要：

   A 先找原因　　　　B 懂得拒绝　　　　C 理解别人　　　　D 对自己有信心

40-41.

   在教育孩子的过程中，父母的鼓励比批评更重要。如果总是说孩子的缺点，孩子更容易向坏的方向发展；相反，如果总能发现孩子的优点并且鼓励他，孩子的优点就会越来越多。当然，鼓励孩子的时候，也要注意方法。否则，不仅起不到鼓励的作用，还可能让孩子怀疑自己的能力，变得没有了信心。

   ★ 经常说孩子的缺点，孩子会：

   A 更得意　　　　B 更优秀　　　　C 变得更差　　　　D 容易骄傲

   ★ 这段话主要谈什么？

   A 不要骗人　　　　B 要理解孩子　　　　C 真正的友谊　　　　D 怎样教育孩子

42-43.

   一天，爷爷对小孙子说："来，我出个问题考考你。"孙子说："您问吧，我肯定能答上来。"爷爷问："一张桌子有 4 个角，如果去掉一个角，桌子还剩几个角？""3 个。"孙子想都不想，马上回答。爷爷笑着说："错了，应该是 5 个角。"有时候，遇到问题我们应该先静下来，仔细地想一想，不能只根据习惯就给出答案。

   ★ 关于小孙子，可以知道什么？

   A 答错了　　　　B 爱哭　　　　C 很诚实　　　　D 讨厌数学

   ★ 这个故事告诉我们，遇到问题时：

   A 要先调查　　　　B 要相信自己　　　　C 要多问老人　　　　D 别受习惯影响

三、书 写

第一部分

第 44–48 题：完成句子。

例如：那座桥　　800 年的　　历史　　有　　了

那座桥有 800 年的历史了。

44.　　被　　外面的　　吵醒　　了　　敲门声　　他

45.　　儿童　　被　　好玩儿的　　更容易　　游戏　　接受

46.　　行李箱　　了　　弄丢　　把　　儿子　　的钥匙

47.　　整理　　复习笔记　　很详细　　的　　孙子　　得

48.　　王护士　　儿童　　打针的　　经验　　特别丰富　　给

第二部分

第 49–50 题：看图，用词造句。

例如：　　　　　　　　乒乓球　　她很喜欢打乒乓球。

49.　　　　　　　　　整理

50.　　　　　　　　　左右

16 生活可以更美好

一、听力

第一部分 🖸 *16-1*

第 1-5 题：判断对错。

例如： 我想去办个信用卡，今天下午你有时间吗？陪我去一趟银行？

★ 他打算下午去银行。 　　　　　　　　　　　（ ✓ ）

现在我很少看电视，其中一个原因是，广告太多了，不管什么时间，也不管什么节目，只要你打开电视，总能看到那么多的广告，浪费我的时间。

★ 他喜欢看电视广告。 　　　　　　　　　　　（ × ）

1. ★ 他知道怎么办签证。 　　　　　　　　（ ✗ ）

2. ★ 护士工作前要通过考试。 　　　　　　（ ✓ ）

3. ★ 他第一次见女朋友时很放松。 　　　　（ ✗ ）

4. ★ 那篇文章写得很精彩。 　　　　　　　（ ✗ ）

5. ★ 做得不好时别失望。 　　　　　　　　（ ✓ ）

第二部分　🔊 16-2

第 6–12 题：请选出正确答案。

例如：女：该加油了，去机场的路上有加油站吗？

男：有，你放心吧。

问：男的主要是什么意思？

A　去机场　　　B　快到了　　　C　油是满的　　　D　有加油站 ✓

6.　A　杂志　　　B　成绩单　　　C　报名表　　　D　传真

7.　A　害怕失败　　B　弹得不好　　C　没有报名　　D　没有时间

8.　A　睡不着　　　B　还有工作　　C　在等人　　　D　在看小说

9.　A　来宾馆　　　B　填表格　　　C　说很满意　　D　写总结

10.　A　商店　　　B　学校　　　C　公司　　　D　饭馆

11.　A　经历丰富　　B　非常可怜　　C　更会打扮　　D　都很聪明

12.　A　力气很大　　B　爱看小说　　C　现在是记者　　D　去过很多地方

第三部分 🔘 16-3

第 13-22 题：请选出正确答案。

例如：男：把这个材料复印 5 份，一会儿拿到会议室发给大家。

女：好的。会议是下午三点吗？

男：改了。三点半，推迟了半个小时。

女：好，602 会议室没变吧？

男：对，没变。

问：会议几点开始？

A 两点　　　　B 3 点　　　　C 15：30 ✓　　　　D 18：00

13.　A 正在排队　　B 忘了号码　　C 没有带笔　　(D) 要填表格

14.　A 办公室　　(B) 书房　　C 厨房　　D 门上

15.　(A) 坐地铁　　B 坐出租车　　C 自己开车　　D 坐公共汽车

16.　A 裤子脏了　　B 手机坏了　　(C) 比赛输了　　D 足球丢了

17.　A 包　　(B) 钥匙　　C 塑料袋　　D 书
　　　　　　　　yaoshi　　　　Plastic Bag

18.　A 语言学　　(B) 经济学　　C 国际关系　　D 环境科学

19.　A 冰箱质量　　B 买洗衣机　　C 修理汽车　　(D) 选择丈夫

20.　A 非常担心　　(B) 爱修东西　　C 不爱逛街　　D 性格很好

21.　A 上五年级　　(B) 不爱学习　　C 成绩很好　　D 在写作业

22.　(A) 很怀疑　　B 太吵了　　C 被骗了　　D 明白了
　　　doubt　　　　to loud　　　sus pian　　　understan

二、阅 读

第一部分

第 23-26 题：选词填空。

A 冷静　　B 尊重　　C 敢　　D 坚持　　E 呀

例如：她每天都（　D　）走路上下班，所以身体一直很不错。

23. 哥，你快来看，这是什么植物（　　）？叶子怎么这么宽？

24. 做事情不要一开始就考虑太多，害怕失败，什么都不（　　）做怎么可能成功？

25. 邀请别人吃饭，至少要提前一天联系。首先，这是对被邀请人表示（　　）；其次，也方便别人做好安排。

26. 当事情没有按照原来的计划进行时，不要太着急、太担心，而应该使自己（　　）下来，态度积极地去想解决问题的办法。

第 27-30 题：选词填空。

A 激动　　B 挂　　C 温度　　D 报名　　E 郊区

例如：A：今天真冷啊，好像白天最高（　C　）才 2℃。

　　　B：刚才电视里说明天更冷。

27.　　A：我那件红衬衫呢？你放哪儿了？

　　　B：洗了，在外面（　　　）着，还没干呢。你穿这件就很好，很精神。

28.　　A：去植物园玩儿的同事一共是十二位，现在还有人要（　　　）吗？

　　　B：我也想去。明天我们大概去多长时间？几点能回来呢？

29.　　A：外面雪下得这么大，那些小伙子们怎么都跑外边去了？

　　　B：他们都是南方人，南方冬天很少下雪，更不用说这么大的雪，所以他们肯定特别（　　　）。

30.　　A：现在城市里越来越多的人喜欢到（　　　）过周末了。

　　　B：是啊，那里空气新鲜、环境也安静，可以让人好好放松一下。

第二部分

第 31-34 题：排列顺序。

例如： A 可是今天起晚了

B 平时我骑自行车上下班

C 所以就打车来公司

B A C

31. A 因此，预习是学习的第一步

B 上课的时候，学习效果才会更好

C 提前对要学的内容有个大概的了解

C B A

32. A 结果眼睛越来越不好

B 所以现在我不敢再躺着看书了

C 拿我来说，小时候我总喜欢躺在床上看书

C A B

33. A 我们还是把它推到里面去吧

B 沙发太大了，放这儿容易堵着门，进出不方便

C 把这个地方空出来

_____

34. A 也许你会发现，这些事情其实用不着烦恼

B 每次发脾气前，请先给自己几分钟

C 冷静地想一想，是不是值得为此生气

_____

第三部分

第35-43题：请选出正确答案。

例如： 她很活泼，说话很有趣，总能给我们带来快乐，我们都很喜欢和她在一起。

★ 她是个什么样的人？

A 幽默 √   B 马虎   C 骄傲   D 害羞

35. 每年有成千上万的高中毕业生报名参加电影学院的艺术考试，他们中很多人都抱着成为著名演员的理想，但其实大部分考生并不清楚表演到底是什么。

★ 根据这段话，很多考生：

A 年龄比较大   B 成绩很优秀   C 不理解表演   D 已经是演员

36. 举办这次活动，主要是为了向大家介绍我们公司推出的新手机，希望通过这次活动引起大家的兴趣，让大家更了解我们。

★ 举办这次活动是为了：

A 比赛   B 打折   C 积累经验   D 介绍手机

37. 在别人伤心难过的时候，我们总会对他/她表示同情。同情是最美好的情感之一，然而同情并不是高高在上的关心，它应该是对别人的理解、尊重和支持。

★ 这段话认为，同情别人：

A 不值得做   B 非常可惜   C 会让人难过   D 是表示支持

38. 现在的输或者赢都只是暂时的，没有人会永远输，也没有人会一直赢。生活的关键就是：只要你敢想、敢做、积极努力了，那么无论是输还是赢，生活都一样精彩。

★ 根据这段话，可以知道：

A 耐心非常重要   B 生活会很精彩   C 输和赢不重要   D 要多参加活动

39. 耳朵每天都帮助我们听到各种各样的声音，但我们可不像重视眼睛、鼻子那样重视它。很多时候人们常常感觉不到它，甚至忘记了它。其实我们都错了，有研究发现，通过耳朵可以看出一个人是不是健康，甚至是什么样的性格。

★ 这段话主要讲：

A 有趣的鼻子　　　B 怎样保护眼睛　　C 重新认识耳朵　　D 怎样打扮自己

40-41.

"我找林医生，我有急事！"一位妈妈非常着急地给林医生打电话，林医生的妻子接的电话。"他刚出去了，您有什么事吗？""天哪，我的小儿子刚才把我的手表吃到肚子里了，林医生什么时候能回来？""两个小时左右。"医生的妻子回答。"两个小时！这段时间我该怎么办呀？""我很抱歉，您恐怕只能先用另一块儿表了。"

★ 孩子怎么了？

A 很想买手表　　B 突然流血了　　C 把药吃错了　　D 把手表吃了

★ 关于林医生，可以知道什么？

A 不在家　　　　B 很伤心　　　　C 表丢了　　　　D 不负责

42-43.

父母是孩子第一位老师，也是最重要的老师。父母不仅要帮助孩子认识世界，教给他们知识，还应该帮助孩子养成好的生活习惯，比如睡前刷牙、节约用水。另外，还要教会他们懂礼貌、对人诚实。这些都需要父母的耐心教育。孩子习惯的养成会受到父母的影响，所以做父母的平时一定要注意自己的言行。

★ 根据这段话，父母有什么责任？

A 保护孩子安全　　B 教育孩子　　C 回答问题　　D 替孩子做决定

★ 根据这段话，孩子习惯的养成：

A 过程会很慢　　B 会比较轻松　　C 与年龄有关　　D 受父母影响

三、书写

第一部分

第44-48题：完成句子。

例如：那座桥　800年的　历史　有　了

那座桥有800年的历史了。

44.　200　估计　王老师　报名人数　会　超过

45.　传真号码　是　你们　多少　公司　的

46.　请　帮我　一个　当地导游　你能　吗

47.　失望　让　那个　很　电影　观众

48.　是　好消息　激动人心的　实在　一个　这

第二部分

第 49–50 题：看图，用词造句。

例如：　　　　　　乒乓球　　她很喜欢打乒乓球。

49.　　　　　　　　　　小伙子

50.　　　　　　　　　　表格

人与自然

一、听 力

第 1–5 题：判断对错。

例如：　我想去办个信用卡，今天下午你有时间吗？陪我去一趟银行？

　　　　★ 他打算下午去银行。　　　　　　　　　　（ ✓ ）

　　　　现在我很少看电视，其中一个原因是，广告太多了，不管什么时间，也不管什么
节目，只要你打开电视，总能看到那么多的广告，浪费我的时间。

　　　　★ 他喜欢看电视广告。　　　　　　　　　　（ × ）

1.　　★ 秋季不适合去黄山。　　　　　　　　　　（ 　 ）

2.　　★ 地图上蓝色表示海洋。　　　　　　　　　　（ 　 ）

3.　　★ 开车时听广播很不安全。　　　　　　　　　　（ 　 ）

4.　　★ 海洋里的植物很少。　　　　　　　　　　（ 　 ）

5.　　★ 明天是中秋节。　　　　　　　　　　（ 　 ）

第二部分 🖸 *17-2*

第 6-12 题：请选出正确答案。

例如：女：该加油了，去机场的路上有加油站吗？

男：有，你放心吧。

问：男的主要是什么意思？

A 去机场　　　B 快到了　　　C 油是满的　　　D 有加油站 √

6. A 入口很远　　B 应该右拐　　C 女的在问路　　D 海洋馆很好

7. A 想请假　　　B 被表扬了　　C 受到邀请了　　D 要写计划书

8. A 没有精神　　B 发烧了　　　C 适应环境　　　D 肚子饿了

9. A 地铁站　　　B 机场　　　　C 公交车站　　　D 火车站

10. A 做生意很容易　B 比赛非常精彩　C 价格已经最低　D 竞争也有好处

11. A 回趟家　　　B 去国外　　　C 看奶奶　　　　D 准备考试

12. A 电影票免费　　B 票还没买　　C 女的下午有事　D 电影很精彩

第三部分　🔘 17-3

第 13–22 题：请选出正确答案。

例如：男：把这个材料复印 5 份，一会儿拿到会议室发给大家。

　　　女：好的。会议是下午三点吗？

　　　男：改了。三点半，推迟了半个小时。

　　　女：好，602 会议室没变吧？

　　　男：对，没变。

　　　问：会议几点开始？

　　　A　两点　　　　B　3 点　　　　C　15：30 √　　　D　18：00

13.　A　喜欢照相　　B　五岁了　　　C　有个哥哥　　　D　个子不高

14.　A　公园　　　　B　餐厅　　　　C　超市　　　　　D　宾馆

15.　A　下雨了　　　B　在下雪　　　C　很暖和　　　　D　刮风了

16.　A　地球大小　　B　海水颜色　　C　节约用水　　　D　空气污染

17.　A　害怕失败　　B　还没输过　　C　不太会打　　　D　没有男的好

18.　A　植物园　　　B　卧室　　　　C　院子里　　　　D　南方

19.　A　植物学　　　B　医学　　　　C　历史学　　　　D　动物学

20.　A　自然　　　　B　节目　　　　C　老虎　　　　　D　亚洲

21.　A　寒假　　　　B　暑假　　　　C　每天中午　　　D　每月 15 号

22.　A　天气太热　　B　地方太小　　C　提前下班　　　D　保证安全

二、阅 读

第一部分

第 23-26 题：选词填空。

     A 严格   B 梦   C 抱   D 坚持   E 入口

例如：她每天都（ D ）走路上下班，所以身体一直很不错。

23.   小姐，您的包不能带入馆内。（   ）处有专门存包的地方，您可以把包存放在那儿。

24.   有的父母为了让孩子更好地发展而对孩子从小就（   ）要求，却忘记了快乐地生活对孩子才是最重要的。

25.   小时候，我们往往会有许多浪漫的理想。但是随着年龄的增长，我们天天忙工作、忙生活，那些（   ）慢慢地离我们远去了。

26.   在昨天的羽毛球男子双打比赛中，小马和小张最后赢得了比赛。赛后他们激动地（   ）在了一起。

第 27–30 题：选词填空。

A 剩   B 趟   C 干 (gàn)   D 温度   E 照

例如：A：今天真冷啊，好像白天最高（ D ）才 2℃。

B：刚才电视里说明天更冷。

27.   A：站在这儿（   ）什么？怎么不进去？忘拿东西了？

B：没有，我在等我儿子，我要带他去公园玩儿。

28.   A：（   ）了这么多菜没吃完，太浪费了。

B：让服务员拿几个盒子来，我们都带回去吧。

29.   A：这张照片在哪儿（   ）的？真漂亮！

B：中山公园。最近天气暖和了，好多花儿都开了。

30.   A：王小姐，辛苦你了，让你周末还跑一（   ）。

B：不用客气，我正好经过这儿，就顺便给您带来了。

第二部分

第 31-34 题：排列顺序。

例如： A 可是今天起晚了

B 平时我骑自行车上下班

C 所以就打车来公司　　　　　　　　　　　　　B A C

31. A 不但能看到小鱼在河里游来游去

B 这儿的河水仍然非常干净，站在河边

C 还能看到河底绿绿的水草　　　　　　　　　_____

32. A 这次艺术节吸引了 3000 多人参加

B 是参加人数最多的一次

C 京剧艺术节于 9 月 21 日在北京举办　　　　_____

33. A 森林是大自然不可缺少的一部分

B 我觉得这张画主要是想告诉人们

C 保护森林就是在保护地球，保护我们共同的家　_____

34. A 我来北京两年了，却还没去过长城

B 所以我打算这个周末去一趟

C 有人说没去过长城就不算来过北京　　　　　_____

第三部分

第35-43题：请选出正确答案。

例如：她很活泼，说话很有趣，总能给我们带来快乐，我们都很喜欢和她在一起。

★ 她是个什么样的人？

    A 幽默 √   B 马虎   C 骄傲   D 害羞

35. 我向大家介绍一下，我们前面看到的就是"老虎山"。为什么叫这个名字呢？不是因为山里有老虎，而是因为从山脚下向上看，山很像一只老虎。

    ★ 关于"老虎山"，可以知道：

    A 看起来像老虎   B 里面有动物园   C 只有一个入口 D 有很多种植物

36. 社会的发展不能光看经济的发展，还要重视环境的保护。环境如果被污染了，经济的发展也无法为我们带来美好的生活。

    ★ 这段话主要谈经济发展和什么的关系？

    A 历史文化   B 科学发展   C 环境保护   D 城市管理

37. 当地球上的空气还不适合生命出现的时候，海洋中就已经出现了生命。海洋里的水对生命有保护作用，生命在海水中不容易受到坏的环境的影响。

    ★ 生命先出现在海洋里的原因是海水：

    A 很暖和   B 有吃的   C 能改变环境   D 能保护它们

38. 很多人常为了昨天的事而烦恼，也常为了明天的事而担心，生活得并不快乐。在这一点上，动物有很多值得人学习的地方。拿猫来说吧，它们该睡觉的时候睡觉，该吃饭的时候吃饭，好像一点儿烦恼都没有。如果人们能有它们那样的生活态度，一定会健康快乐很多。

    ★ 根据这段话，人们应该怎么生活？

    A 多考虑将来   B 别忘记以前   C 跟动物一样   D 不要想太多

39. 很多人害怕与周围的人比较，比较不但让失败的人更难受，而且让那些成功的人感到有压力，因为肯定还有比他们更成功的人。但是从另一方面来看，通过比较又可以发现自己的优点、缺点，使自己取得更大的成绩。

★ 比较的好处是可以：

A 引起竞争　　　　B 赢得同情　　　　C 原谅别人　　　　D 了解自己

40–41.

由于气候条件不同，世界各地植物叶子的样子也很不相同。在暖和而且空气水分很多的地方，叶子往往长得又宽又厚；在比较干、阳光特别厉害的地方，因为空气中水分少，当地植物的叶子就会长得又瘦又长，有的甚至像针一样。

★ 世界各地植物叶子不同与什么有关？

A 长的速度　　　　B 气候条件　　　　C 经济发展　　　　D 植物间的距离

★ 暖和、水分多的地方，植物叶子：

A 很长　　　　B 很宽　　　　C 很亮　　　　D 很多

42–43.

我们虽然完全不懂小鸟的叫声代表什么意思，但仍然可能觉得很好听。虽然有的画儿看来看去也看不懂，可是仍然可能觉得很美。其实美一直都在我们身边，在我们的眼睛里，尽管我们不清楚美到底是什么，但美从来不会因为人们不懂而改变。只要我们长着一双发现美的眼睛，美就无处不在。

★ 美有什么特点？

A 有清楚的意思　　B 有相同的标准　　C 很容易被理解　　D 不因为人改变

★ 根据这段话，我们应该：

A 学习跟鸟交流　　B 从画中理解美　　C 欣赏身边的美　　D 好好保护眼睛

三、书写

第一部分

第 44-48 题：完成句子。

例如：那座桥　　800 年的　　历史　　有　　了

那座桥有 800 年的历史了。

44.　　把　　一下　　的　　数字　　排列　　剩下

45.　　按照　　同学们　　顺序　　排好　　请　　队

46.　　竞争　　经济　　推动　　发展　　鼓励　　能

47.　　一万公里　　这两个　　距离　　的　　城市　　是

48.　　应该　　老师们　　自己的课　　使　　变得　　活泼

<h1 style="text-align:center">第二部分</h1>

第 49–50 题：看图，用词造句。

例如：  乒乓球   她很喜欢打乒乓球。_____

49.  毛

50.  公里

科技与世界

一、听 力

第一部分 💿 18-1

第1–5题：判断对错。

例如： 我想去办个信用卡，今天下午你有时间吗？陪我去一趟银行？

★ 他打算下午去银行。 （ √ ）

现在我很少看电视，其中一个原因是，广告太多了，不管什么时间，也不管什么节目，只要你打开电视，总能看到那么多的广告，浪费我的时间。

★ 他喜欢看电视广告。 （ × ）

1. ★ 地址填错地方了。 （ ）

2. ★ 他们要坐地铁。 （ ）

3. ★ 明天中午有大雪。 （ ）

4. ★ 遇到危险时要冷静。 （ ）

5. ★ 黄河是中国的"母亲河"。 （ ）

第二部分　🔘 18-2

第 6-12 题：请选出正确答案。

例如：女：该加油了，去机场的路上有加油站吗？

男：有，你放心吧。

问：男的主要是什么意思？

A 去机场　　　B 快到了　　　C 油是满的　　　D 有加油站 √

6. A 没有邮件　　B 电脑坏了　　C 电话有问题　　D 密码错了

7. A 在超市　　　B 没带钱　　　C 在找人　　　D 迷路了

8. A 寄信　　　　B 写地址　　　C 找信封　　　D 发邮件

9. A 做菜　　　　B 咖啡　　　　C 面条　　　　D 葡萄酒

10. A 非常困　　　B 发烧了　　　C 没起床　　　D 受欢迎

11. A 高兴　　　　B 无聊　　　　C 担心　　　　D 轻松

12. A 借钱　　　　B 买饼干　　　C 找钥匙　　　D 问路

第三部分　💿 18-3

第 13–22 题：请选出正确答案。

例如：男：把这个材料复印 5 份，一会儿拿到会议室发给大家。

　　　女：好的。会议是下午三点吗？

　　　男：改了。三点半，推迟了半个小时。

　　　女：好，602 会议室没变吧？

　　　男：对，没变。

　　　问：会议几点开始？

　　　A　两点　　　　　B　3 点　　　　　C　15：30 ✓　　　D　18：00

13.　A　大学毕业了　　B　找到工作了　　C　考上硕士了　　D　做教育工作

14.　A　火车站　　　　B　机场　　　　　C　公园　　　　　D　图书馆

15.　A　网站有问题　　B　网址错了　　　C　上网速度不快　D　女的的电脑坏了

16.　A　是新手　　　　B　开车慢　　　　C　想停车　　　　D　技术好

17.　A　学校　　　　　B　作者　　　　　C　办公室　　　　D　中学生

18.　A　介绍科学知识　B　特别有意思　　C　赚了很多钱　　D　解释了很多梦

19.　A　开始时间　　　B　完成的情况　　C　做事的顺序　　D　别浪费时间

20.　A　工作总结　　　B　管理效果　　　C　做计划的方法　D　时间的重要性

21.　A　为了赚钱　　　B　减少污染　　　C　衣服太脏　　　D　洗衣服太辛苦

22.　A　麻烦的好处　　B　麻烦的原因　　C　爬楼的快乐　　D　交通工具的特点

二、阅 读

第一部分

第 23-26 题：选词填空。

A 举　　B 是否　　C 火　　D 坚持　　E 警察

例如：她每天都（　D　）走路上下班，所以身体一直很不错。

23.　校门口右边那家饭馆的菜做得确实好吃，吃饭时间经常有人排队等座，生意越来越（　　　）了。

24.　小时候我的理想是当一名（　　　），但现在我却成了一个动物园管理员，跟熊猫和老虎成了好朋友。

25.　随着年龄的增长，我们会遇到许多机会，但问题是当它来到你身边时，你（　　　）已经做好了准备。

26.　每个人都有自己特别感兴趣的东西，（　　　）个例子，作家爱讲故事，演员爱表演。我们只有了解了自己的兴趣爱好后，才能更好地发展自己。

第 27-30 题：选词填空。

A 咸　　B 桥　　C 温度　　D 收　　E 座

例如：A：今天真冷啊，好像白天最高（　C　）才 2℃。
　　　B：刚才电视里说明天更冷。

27.　A：我刚从会议室过来，怎么一个人也没有？
　　　B：对不起，今天的会议改到明天上午了，您没（　　　）到通知吗？

28.　A：中午去海边游泳了？感觉怎么样？
　　　B：还行，就是海水太（　　　）了。

29.　A：这儿的景色真美！帮我照张相吧。
　　　B：好的，你稍微往左边站一点儿，我帮你把后面的大（　　　）也照上。

30.　A：北京有一（　　　）香山，非常有名。每到秋天，满山都是红叶，景色特别漂亮。
　　　B：是吗？那我有机会一定要去看看。

第二部分

第 31-34 题：排列顺序。

例如： A 可是今天起晚了

B 平时我骑自行车上下班

C 所以就打车来公司   B A C

31. A 因为无论对自己还是对其他人

B 司机喝酒后不允许开车

C 酒后开车都是非常危险的   _____

32. A 即使已经过去了几个世纪

B 仍然受到读者们的喜爱

C 这个美丽的爱情故事，感动过无数人   _____

33. A 祝他们在今后的生活中

B 让我们一起举杯

C 一切顺利，永远幸福   _____

34. A 只要找出文中的关键信息

B 就可以在短时间内了解文章的大意

C 做到快速阅读其实不难，简单来说   _____

第三部分

第35-43题：请选出正确答案。

例如： 她很活泼，说话很有趣，总能给我们带来快乐，我们都很喜欢和她在一起。

★ 她是个什么样的人？

A 幽默√　　　B 马虎　　　　C 骄傲　　　　D 害羞

35. 一般情况下，飞机起飞的方向是和风向相反的，这样飞机可以得到更多向上的助力；另外，相反方向的风能使飞机的离地速度减慢，这样更能够保证安全。

★ 飞机起飞的方向应该：

A 向南　　　B 向北　　　C 与风向相反　　D 与风向相同

36. 森林里有一种奇特的植物，它开的花比普通的花大很多。这种植物会吸引来一些小动物，当小动物走近花时，植物就会把它们吃掉。

★ 这种植物：

A 会吃小动物　B 花很漂亮　　C 夏天才开花　D 没有叶子

37. 二三十年前很多人还有通过写信交笔友的习惯，但是进入21世纪以后，随着科学技术的发展，现在几乎没有人会选择写信了，人们更愿意上网交流。

★ 现在人们更愿意：

A 发短信　　　B 写日记　　　C 上网聊　　　D 看杂志

38. 小姐，我们这种矿泉水取自雪山，不仅好喝，用它来洗脸对皮肤也很有好处，所以价格要比其他矿泉水贵一些。

★ 这种矿泉水的特点是：

A 干净　　　B 有点儿咸　　C 来自海洋　　D 洗脸对皮肤好

39. 随着科学技术的发展，距离对人与人之间交流的影响越来越小了，只要打个电话或者发个电子邮件，就能联系到千里之外的人。

★ 科技发展带来的好处是：

A 减少误会　　　B 减少污染　　　C 交流更方便　　　D 增加安全感

40–41.

昨天下午女朋友突然想让我陪她去逛街买衣服，于是她就开始准备起来了。她先洗了个澡，接着又在脸上画了半天，过了一个小时了她还没弄好。我提醒她商场六点关门，她说马上就好，我只能继续接着等。结果，等我们到商场时，商场已经关门了。她很生气，说我没注意时间，真让我受不了。

★ 出门前女朋友在做什么？

A 画画儿　　　B 打扫房间　　　C 打扮自己　　　D 等朋友来

★ 女朋友为什么生气？

A 朋友来晚了　　　B 忘带钥匙了　　　C 衣服不打折　　　D 商场关门了

42–43.

不知道从什么时候开始，我们的生活已经离不开密码：用银行卡取钱需要密码，打开手机需要密码，在互联网上收发邮件、聊天也需要密码，有时候甚至连开门都需要密码。密码让我们的生活变得更方便安全，可除此以外，它也给我们增加了不少烦恼。试着想一想，如果谁不小心忘记了那些密码，他的生活会变成什么样。

★ 人们需要记住什么？

A 银行卡　　　B 地址　　　C 密码　　　D 手机号码

★ 这段话主要讲的是：

A 科学技术的发展　B 互联网的优缺点　C 密码对人的影响　D 哪些地方用密码

三、书 写

第一部分

第 44-48 题：完成句子。

例如： 那座桥　 800 年的 　历史 　有 　了

那座桥有 800 年的历史了。

44. 飞机　 最　 被认为 　是 　安全的　 交通方式

45. 一个　 责任感 　警察 　有 　优秀的 　需要

46. 我顺便　 回来的路上　 邮局 　去 　趟 　了

47. 历史教授　 著名的 　是位 　作者 　这本书 　的

48. 密码 　你爸 　把 　信用卡的 　了 　改

第二部分

第 49–50 题：看图，用词造句。

例如：　　　　　　乒乓球　　她很喜欢打乒乓球。

49.　　　　　　　　降落

50.　　　　　　　　迷路

19 生活的味道

一、听 力

第一部分 💿 19-1

第1-5题：判断对错。

例如： 我想去办个信用卡，今天下午你有时间吗？陪我去一趟银行？

     ★ 他打算下午去银行。   (√)

     现在我很少看电视，其中一个原因是，广告太多了，不管什么时间，也不管什么节目，只要你打开电视，总能看到那么多的广告，浪费我的时间。

     ★ 他喜欢看电视广告。   (×)

1.   ★ 想重新让人相信很难。   ( )

2.   ★ 他在理发店。   ( )

3.   ★ 他想租个大房子。   ( )

4.   ★ 人们可以通过音乐交流感情。   ( )

5.   ★ 他刚来这儿不久。   ( )

第二部分　　🖸 19-2

第6-12题：请选出正确答案。

例如：女：该加油了，去机场的路上有加油站吗？

男：有，你放心吧。

问：男的主要是什么意思？

A 去机场　　B 快到了　　C 油是满的　　D 有加油站 ✓

6.　A 最近很忙　　B 可以教他　　C 会打网球　　D 明天见面

7.　A 铅笔用完了　　B 要打印材料　　C 马上下课了　　D 听不见声音

8.　A 肚子不舒服　　B 在打羽毛球　　C 想吃饭了　　D 要去饭馆

9.　A 天气太热了　　B 男的穿得多　　C 女的想开窗　　D 衣服太大了

10.　A 手表　　B 手机　　C 书包　　D 出租车

11.　A 再算一遍　　B 增加一列　　C 减少字数　　D 重新申请

12.　A 有点儿大　　B 有问题　　C 不太亮　　D 没以前好了

第三部分　🔘 19-3

第 13–22 题：请选出正确答案。

例如：男：把这个材料复印 5 份，一会儿拿到会议室发给大家。

女：好的。会议是下午三点吗？

男：改了。三点半，推迟了半个小时。

女：好，602 会议室没变吧？

男：对，没变。

问：会议几点开始？

A 两点　　　B 3 点　　　C 15：30 √　　　D 18：00

13.　A 大使馆　　　B 银行　　　C 学校　　　D 医院

14.　A 体育馆　　　B 电影院　　　C 宾馆　　　D 图书馆

15.　A 带家具的　　　B 购物方便的　　　C 房租便宜的　　　D 离学校近的

16.　A 图书馆　　　B 学校东门　　　C 商店　　　D 一楼

17.　A 桌子　　　B 沙发　　　C 冰箱　　　D 饮料

18.　A 年龄小　　　B 有基础　　　C 胳膊长　　　D 长得高

19.　A 喜欢功夫　　　B 个子不高　　　C 十六岁了　　　D 考试第一

20.　A 五十五岁　　　B 十五岁　　　C 五十六岁　　　D 十六岁

21.　A 同事　　　B 同学　　　C 学生　　　D 老师

22.　A 没上班　　　B 看错了　　　C 速度慢　　　D 声音小

二、阅读

第一部分

第 23–26 题：选词填空。

A 戴　　B 抬　　C 禁止　　D 坚持　　E 道歉

例如：她每天都（ D ）走路上下班，所以身体一直很不错。

23.　夏天的晚上，我喜欢躺在草地上，（　　）头看着满天的星星，那种感觉真是太棒了。

24.　这件事看起来确实是我误会他了。我明天就去向他（　　），希望他能原谅我。

25.　走路的时候（　　）着耳机听音乐，会影响你的注意力还有判断力，有时候是十分危险的。

26.　先生，对不起，我们宾馆有规定，这里（　　）抽烟。前面有专门的吸烟室，往前走就能看到，就在楼梯右边。

第 27-30 题：选词填空。

A 占线　　B 场　　C 温度　　D 转　　E 眼镜

例如：A：今天真冷啊，好像白天最高（　C　）才 2℃。

B：刚才电视里说明天更冷。

27.　　A：这个礼拜天我看了一（　　）精彩的足球赛。

B：是北京队跟上海队踢的那场吧？我也看了，踢得真不错！

28.　　A：您好！请问这附近是不是有家东北饺子馆？

B：对，你走到前面路口左（　　）就能看见了。

29.　　A：对面戴（　　）的那个人你认识吗？

B：她呀，她是新来的护士，好像是姓元。

30.　　A：王大夫办公室的电话怎么一直（　　）呢？

B：是不是电话没放好？你还是直接过去找他一趟吧。

第二部分

第 31–34 题：排列顺序。

例如： A 可是今天起晚了

　　　 B 平时我骑自行车上下班

　　　 C 所以就打车来公司　　　　　　　　　　　　B A C

31.　　A 但在校长的鼓励下，她还是坚持了下来

　　　 B 学舞蹈是一件很辛苦的事

　　　 C 每天都要对着镜子练习同样的动作　　　　_____

32.　　A 开车千万别喝酒，喝酒千万别开车

　　　 B 每个人都应该记住这句话

　　　 C 法律禁止司机酒后开车　　　　　　　　　　_____

33.　　A 今天的晚会太精彩了

　　　 B 动作既标准又好看，非常棒

　　　 C 特别是那些外国留学生表演的中国功夫　　_____

34.　　A 道歉时应该让人感觉到你真心的歉意

　　　 B 道歉并不仅仅是一句简单的"对不起"

　　　 C 那样才有可能获得别人的原谅　　　　　　　_____

第三部分

第35-43题：请选出正确答案。

例如：她很活泼，说话很有趣，总能给我们带来快乐，我们都很喜欢和她在一起。

★ 她是个什么样的人？

A 幽默✓　　B 马虎　　　C 骄傲　　　D 害羞

35. 按照规定，儿童乘坐飞机也需要购买机票。14天到两岁的孩子，票价是大人的10%，但不提供座位；而两岁至12岁的儿童，票价是大人的50%，提供座位。

★ 根据这段话，8岁的儿童坐飞机时：

A 无座位　　B 机票半价　　C 可提前登机　　D 需由父母陪着

36. 上半场的比赛已经结束，现在是中场休息，比分仍然是0:0。到底谁能先进球，比赛结果到底怎样，我们稍后将继续为您介绍。

★ 比赛：

A 刚刚开始　　B 时间推后了　　C 不知道输赢　　D 准备举行

37. 在中国，南方人大多喜欢吃米饭，北方人却更爱吃面条、包子和饺子。张小姐虽然是南方人，但来到北京以后，却很快喜欢上了北方的面食。

★ 张小姐：

A 是南方人　　B 出生在北方　　C 来北京出差　　D 不爱吃面条

38. 要想更快适应新环境，其实有很多办法。例如多和周围的人打招呼，在别人遇到麻烦的时候去帮一把，或者跟别人聊聊他感兴趣的事，这些都可以让身边的人更快地接受你。

★ 怎样才能更快适应新环境？

A 要准时　　B 要有好心情　　C 多和人说话　　D 严格要求自己

39. 我上学校网站看了课表，发现李老师这学期开了一门"汉字与文化"课，我想去听听，之前看过他写的一篇关于这方面的文章，非常有趣。

★ 他在谈：

A 选课   B 课前预习   C 汉语语法   D 对汉字的看法

40-41.

生活中我们总是需要做出各种各样的选择，比如选择哪个人做自己的妻子或丈夫，毕业后怎么选择适合自己发展的职业，购物时怎么选择质量又好、价格又便宜的东西等等。当你选择其中一个的同时，就说明得放弃别的选择。因此，有人说成功关键在于正确的选择。只有在正确选择的基础上，你才有可能成功。

★ 根据这段话可以知道，"选择"：

A 需要别人帮助   B 是成功的关键   C 不用我们担心   D 只是暂时的

★ 这段话告诉我们要：

A 快速选择   B 不能放弃   C 正确选择   D 相信自己

42-43.

跟其他家在外地的大学毕业生一样，小张走入社会遇到的第一个大问题就是租房。那时，他每个月的工资不到1000元，除了吃穿，用来租房的钱剩不了多少。因此，他只好到处找便宜的房子。"当时我租的房子只能放一张床、一个桌子，洗澡、做饭得用公共的，但是每个月房租才280元，房东也不错，我在那里住了6年。"小张说。这么便宜的房子现在肯定找不到了，也正是因为这么便宜的房租，他才能存下钱，付上了买房的首付款。

★ 对于家在外地的大学毕业生来说，走入社会首先遇到的最大困难是：

A 找工作   B 租房子   C 买家具   D 学做饭

★ 根据这段话，可以知道小张：

A 想租房   B 刚毕业   C 已买房   D 很有钱

三、书 写

第一部分

第 44-48 题：完成句子。

例如： 那座桥   800 年的   历史   有   了

　　　　那座桥有 800 年的历史了。
　　　　_____

44.　　有　　我这里　　很多零钱　　你　　可以　　借给

45.　　左右　　房东　　晚上　　回来　　每天　　9 点

46.　　学期　　我选了　　最喜欢的　　中国　　这个　　音乐史

47.　　变得　　破街道　　以前　　那条　　热闹　　真

48.　　收拾　　的时候　　把衣服　　弄脏了　　厨房　　我

第二部分

第 49–50 题：看图，用词造句。

例如：　　　　　　乒乓球　　　她很喜欢打乒乓球。

49.　　　　　　　　　　　　刀

50.　　　　　　　　　　　　小区

一、听 力

第一部分　　💿 20-1

第1-5题：判断对错。

例如： 我想去办个信用卡，今天下午你有时间吗？陪我去一趟银行？

　　　　★ 他打算下午去银行。　　　　　　　　　（ √ ）

　　　现在我很少看电视，其中一个原因是，广告太多了，不管什么时间，也不管什么节目，只要你打开电视，总能看到那么多的广告，浪费我的时间。

　　　　★ 他喜欢看电视广告。　　　　　　　　　（ × ）

1. 　★ 他们在火车上。　　　　　　　　　　　（　　）

2. 　★ 大家受到了表扬。　　　　　　　　　　（　　）

3. 　★ 他暑假想去云南旅行。　　　　　　　　（　　）

4. 　★ 大门钥匙只有一把。　　　　　　　　　（　　）

5. 　★ 加油站不允许打手机。　　　　　　　　（　　）

第二部分　　💿 20-2

第 6–12 题：请选出正确答案。

例如：女：该加油了，去机场的路上有加油站吗？

男：有，你放心吧。

问：男的主要是什么意思？

A 去机场　　　　B 快到了　　　　C 油是满的　　　　D 有加油站 √

6.　A 汽车坏了　　　B 行李丢了　　　C 航班错过了　　　D 上班迟到了

7.　A 工资低　　　　B 没有孩子　　　C 妻子爱买衣服　　D 妻子很懒

8.　A 报名旅行　　　B 考普通话　　　C 参加面试　　　　D 检查网站

9.　A 书里　　　　　B 飞机上　　　　C 网上　　　　　　D 电梯里

10.　A 桌子上　　　　B 包里　　　　　C 银行里　　　　　D 门上

11.　A 抽烟　　　　　B 吃咸的　　　　C 少吃辣　　　　　D 打针

12.　A 高兴　　　　　B 抱歉　　　　　C 难过　　　　　　D 失望

第三部分　💿 20-3

第 13–22 题：请选出正确答案。

例如：　男：把这个材料复印 5 份，一会儿拿到会议室发给大家。

　　　　女：好的。会议是下午三点吗？

　　　　男：改了。三点半，推迟了半个小时。

　　　　女：好，602 会议室没变吧？

　　　　男：对，没变。

　　　　问：会议几点开始？

　　　　A　两点　　　　　B　3 点　　　　　C　15：30 ✓　　　　D　18：00

13.　A　戴上帽子　　　B　少带东西　　　C　带些水果　　　D　带行李箱

14.　A　机场太远　　　B　汽车没油　　　C　航班推迟　　　D　忘了时间

15.　A　骑马　　　　　B　超车　　　　　C　河边打球　　　D　江里游泳

16.　A　烤鸭贵　　　　B　服务好　　　　C　座位少　　　　D　关门早

17.　A　有约会　　　　B　去面试　　　　C　去存钱　　　　D　参加舞会

18.　A　很聪明　　　　B　很有趣　　　　C　很兴奋　　　　D　丢钱了

19.　A　看到酒的颜色　B　感觉到酒的香气　C　尝到酒的味道　D　听到好听的声音

20.　A　别抽烟　　　　B　要小心　　　　C　要慢点儿喝　　D　为什么干杯

21.　A　树变绿了　　　B　都是晴天　　　C　慢慢变冷　　　D　突然下雪

22.　A　二月的天气　　B　南北的不同　　C　南方的冬天　　D　南方的风景

二、阅 读

第一部分

第 23-26 题：选词填空。

　　　　A 究竟　　　B 可怜　　　C 小吃　　　D 坚持　　　E 酸

例如：她每天都（　D　）走路上下班，所以身体一直很不错。

23.　超市外边那只小狗的样子看上去很（　　　），它是不是饿了？

24.　吃不到葡萄就说葡萄（　　　），这句话的意思是自己没有或者得不到的东西，就说它不好。

25.　我们学校对面有条（　　　）街，读研究生的时候，我常和同学一起去那儿吃东西。现在毕业都这么多年了，也不知道那里变成什么样子了。

26.　我们常用"一问三不知"来表示一个人什么都不知道。可是，这"三不知"（　　　）是指哪三个不知道呢？原来，这"三不知"是指不知道一件事情发生的原因、经过和结果。

第 27-30 题：选词填空。

A 出发   B 汤   C 温度   D 登机牌   E 对面

例如：A：今天真冷啊，好像白天最高（ C ）才 2℃。
      B：刚才电视里说明天更冷。

27.   A：这张画儿挂这儿可以吗？
       B：画儿有点儿大，而这个地方太小，还是挂（   ）的墙上吧。

28.   A：10 点的航班，8 点（   ）来得及吗？
       B：放心吧，来得及，这儿离首都机场很近，半个小时就能到。

29.   A：我今天做的酸菜鱼怎么样？你尝了吗？
       B：还可以，鱼肉很鲜，如果（   ）里再加一点儿盐就更好了。

30.   A：我要去安检了，你们快回去吧。
       B：拿好护照和（   ），下了飞机就给我和你妈发个短信。

第二部分

第 31-34 题：排列顺序。

例如： A 可是今天起晚了

B 平时我骑自行车上下班

C 所以就打车来公司   B A C

31.   A 老高最爱和儿子一起做游戏

B 谈起他，大家都认为他是个合格的好父亲

C 还能耐心回答儿子的所有问题   _____

32.   A 而各民族的共同语是汉语普通话

B 中国是一个多民族的国家

C 各民族大多有自己的语言   _____

33.   A 我代表学校向今年毕业的同学表示祝贺

B 也希望你们以后有时间多回学校来看看

C 祝你们在今后取得更大的成绩   _____

34.   A 人一定要旅行，旅行能丰富你的经历

B 还能让你变得更自信

C 不仅会让你对很多事情有新的认识和看法   _____

第三部分

第35-43题：请选出正确答案。

例如：她很活泼，说话很有趣，总能给我们带来快乐，我们都很喜欢和她在一起。

　　★ 她是个什么样的人？

　　A 幽默 √　　　　　B 马虎　　　　　C 骄傲　　　　　D 害羞

35. 长江是亚洲第一长河，全长6000多公里，由西而东，经过四川、云南、江西等11个省市，最后经过上海的入海口流入大海——东海。

　　★ 根据这段话，长江：

　　A 世界最长　　　　B 从北往南流　　C 长6000多里　　D 经过上海市

36. 山东烟台市是中国著名的"苹果之都"。由于气候等自然条件较好，那儿的苹果个儿大，味道香甜，颜色也漂亮，吸引了很多人前去购买。

　　★ 烟台：

　　A 空气好　　　　　B 城市大　　　　C 苹果有名　　　D 风景漂亮

37. 只有动作没有感情的表演是没有生命力的，一个好的演员，想要拉近和观众的距离，就要学会用感情和观众进行对话与交流。

　　★ 表演要具有生命力，应该重视什么？

　　A 语言　　　　　　B 感情　　　　　C 动作　　　　　D 感觉

38. 我家后面院子里有一棵树，几乎有两层楼那么高，树叶又大又厚。夏天我们就把桌子、椅子搬到树下，一家人一起吃西瓜、聊天儿，困了就在树下睡一觉，非常凉快。

　　★ 根据这段话，可以知道那棵树：

　　A 很矮　　　　　　B 在后院　　　　C 是苹果树　　　D 叶子掉光了

39. 听广播说今天晚上首都体育馆有表演，等活动结束的时候人肯定很多，你和女儿还是提前一点儿出发吧，否则路过那儿时会堵车。

★ 提前出发是为了：

A 参加活动　　　　B 观看表演　　　　C 错开堵车　　　　D 去接女儿

40-41.

　　高速公路的发展情况往往代表着一个国家的交通及经济发展水平，2013 年中国的高速公路已经达到十万多公里。高速公路一般车速都在每小时 80 公里以上，最高可以达到每小时 120 公里。高速公路既有优点也有缺点，在高速公路上不仅开车速度快，而且也安全方便，但是它对环境影响大、收费也比较高。

★ 通过高速公路，可以判断一个国家的：

A 经济水平　　　　B 教育情况　　　　C 汽车数量　　　　D 环境质量

★ 高速公路有什么优点？

A 不堵车　　　　B 不太影响环境　　C 行车又快又方便　　D 收费少

42-43.

　　地球上所有的国家加起来只有 200 多个，而全世界已经知道的语言却超过了 5000 种。语言不仅可以用来交流，更是民族文化不可缺少的一部分。但可惜的是，由于不注意保护和使用人数的减少，许多民族的语言慢慢成为了历史。如果我们再不努力把那些语言保护起来，那么以后我们对它们的全部了解就会只剩下一个名字。

★ 作者对什么觉得很可惜？

A 调查民族人数　　B 忘记民族文化　　C 语言数量减少　　D 缺少语言环境

★ 这段话主要介绍什么？

A 文化的交流　　　B 国家的责任　　　C 语言的作用　　　D 语言的保护

三、书 写

第一部分

第 44–48 题：完成句子。

例如：那座桥　　800 年的　　历史　　有　　了

　　　　那座桥有 800 年的历史了。　　　　　　　　　

44.　　15 分钟　　降落　　就在　　首都机场　　飞机　　后

45.　　有趣　　讲的　　很　　那名　　笑话　　导游

46.　　发生　　这儿　　了　　事情　　什么　　究竟

47.　　他　　客厅　　干净的　　收拾得　　挺　　把

48.　　一个　　离　　这儿　　有　　加油站　　两公里

第二部分

第49-50题：看图，用词造句。

例如：  乒乓球 <u>她很喜欢打乒乓球。</u>

49.  存

50.  对话

HSK（四级）模拟试卷

注　　意

一、HSK（四级）分三部分：

　　1. 听力（45题，约30分钟）

　　2. 阅读（40题，40分钟）

　　3. 书写（15题，25分钟）

二、**听力结束后，有5分钟填写答题卡。**

三、全部考试约105分钟（含考生填写个人信息时间5分钟）。

一、听 力 💿 21

第一部分

第1-10题：判断对错。

例如：我想去办个信用卡，今天下午你有时间吗？陪我去一趟银行？

    ★ 他打算下午去银行。   (✓)

现在我很少看电视，其中一个原因是，广告太多了，不管什么时间，也不管什么节目，只要你打开电视，总能看到那么多的广告，浪费我的时间。

    ★ 他喜欢看电视广告。   (✗)

1.   ★ 白老师现在仍然爱打球。   (   )

2.   ★ 他们俩经常聊天儿。   (   )

3.   ★ 现在她也当妈妈了。   (   )

4.   ★ 太阳对大自然的影响很大。   (   )

5.   ★ 小夏把误会解释清楚了。   (   )

6.   ★ 高校长发现了新问题。   (   )

7.   ★ 飞机没按时起飞。   (   )

8.   ★ 西直门车站还没到。   (   )

9.   ★ 大学生不希望去农村工作。   (   )

10.   ★ 小王今天要加班。   (   )

第二部分

第 11-25 题：请选出正确答案。

例如：女：该加油了，去机场的路上有加油站吗？

男：有，你放心吧。

问：男的主要是什么意思？

A 去机场　　　B 快到了　　　C 油是满的　　　D 有加油站 √

11. A 新闻专业　　　B 想做律师　　　C 是个记者　　　D 想法变了

12. A 相信男的　　　B 没听明白　　　C 不同意换　　　D 需要时间

13. A 六元　　　　B 十五元　　　C 二十元　　　D 二十一元

14. A 交警　　　　B 老师　　　　C 司机　　　　D 服务员

15. A 报名　　　　B 上网　　　　C 打电话　　　D 办签证

16. A 有点儿远　　　B 交通不方便　　C 外面声音大　　D 邻居很好

17. A 结婚了　　　B 爱浪漫　　　C 不喝酒　　　D 等消息

18. A 公园太远　　　B 天气不好　　　C 想见朋友　　　D 公园人多

19. A 报名时间过了　B 以前去过海南　C 照顾妈妈　　　D 身体不好

20. A 地址写错了　　B 工作太忙了　　C 还没复印好　　D 邮局关门了

21. A 爱看电影　　B 非常幸福　　C 不太浪漫　　D 在写故事

22. A 想一起去　　B 不了解怎么去　　C 更喜欢香山　　D 要买地图

23. A 世纪宾馆　　B 长江大桥　　C 首都机场　　D 中山公园

24. A 旅游　　B 做生意　　C 参加会议　　D 参加比赛

25. A 在看新房　　B 刚买茶叶　　C 搬新家了　　D 要去花园

第三部分

第 26-45 题：请选出正确答案。

例如：男：把这个材料复印 5 份，一会儿拿到会议室发给大家。

女：好的。会议是下午三点吗？

男：改了。三点半，推迟了半个小时。

女：好，602 会议室没变吧？

男：对，没变。

问：会议几点开始？

A 两点　　　　B 3 点　　　　C 15：30 ✓　　　　D 18：00

26. A 电影　　　　B 杂志　　　　C 书包　　　　D 沙发

27. A 生意很好　　B 学习经济　　C 了解上海　　D 来自南京

28. A 超市人少　　B 得到礼物　　C 皮肤很好　　D 价格便宜

29. A 是山西人　　B 喜欢冬天　　C 比较怕冷　　D 刚来云南

30. A 写新闻　　　B 面试　　　　C 办艺术节　　D 寄文章

31. A 填表格　　　B 看电视　　　C 拍电视　　　D 问问题

32. A 轻松　　　　B 失望　　　　C 满意　　　　D 兴奋

33. A 交通　　　　B 学习　　　　C 旅行　　　　D 特色菜

34. A 空气新鲜　　B 适合旅行　　C 交通方便　　D 冬天很冷

35. A 内容没重点　　B 声音不够大　　C 不是普通话　　D 语法错误多

36. A 锻炼身体　　B 欣赏风景　　C 电梯坏了　　D 比赛谁快

37. A 刚把包丢了　　B 白爬了34层　　C 已经到房间　　D 很注意安全

38. A 春季　　B 夏季　　C 秋季　　D 冬季

39. A 季节很不同　　B 南半球更热　　C 北半球植物多　　D 秋天都很干

40. A 安全　　B 安静　　C 著名　　D 便宜

41. A 卖得一般　　B 没有污染　　C 是免费的　　D 农村才有

42. A 看起来更好看　　B 保护酒的味道　　C 最适合做广告　　D 更容易被记住

43. A 怎么做葡萄酒　　B 葡萄酒的价格　　C 喝葡萄酒的方法　　D 葡萄皮的味道

44. A 很难养成习惯　　B 只在本子上写　　C 能总结生活　　D 每个人都愿意

45. A 写得速度快　　B 方便阅读　　C 能交到好朋友　　D 能保护环境

二、阅 读

第一部分

第46-50题：选词填空。

A 小说   B 提醒   C 规定   D 坚持   E 老虎   F 从来

例如：她每天都（ D ）走路上下班，所以身体一直很不错。

46. 根据最新（   ），从2014年12月28日开始，在北京，身高不满1.3米的儿童乘坐公共汽车时可以免票。

47. 在中国，《红楼梦》是一本非常著名的（   ），中国人几乎没有不知道它的。

48. 昨天是"六一"儿童节，许多年轻的父母带着孩子到北京动物园看（   ）、熊猫，动物园里热闹极了。

49. 下周有冷空气南下，长江以南一些城市气温会降低4到5度，所以（   ）大家出门要注意保暖，减少外出活动。

50. 做任何事情都有一个过程，如果把过程做好了，结果一般都会很好。可是，现在很多人做事情的时候只是想着结果，（   ）不关心过程。

第 51-55 题：选词填空。

A 适合　　B 保证　　C 温度　　D 气候　　E 网站　　F 恐怕

例如：A：今天真冷啊，好像白天最高（　C　）才 2℃。

　　　B：刚才电视里说明天更冷。

51.　A：这个中秋节我要去山东烟台，回来给你带点儿烟台苹果。你中秋节有什么打算？

　　　B：我想和妹妹去云南丽江，听说那儿的景色特别美，（　　　）也不错。

52.　A：你怎么知道这么多笑话啊？

　　　B：有一个（　　　），上面有许多小笑话。我发给你网址，有兴趣的话可以上去

　　　看看。

53.　A：怎么忽然想起买裙子了？

　　　B：明天是我妈的生日，我想给她一个惊喜。你快帮我看看这两条，哪条（　　　）她。

54.　A：师傅，麻烦您快点儿行吗？我得在九点之前到大使馆。

　　　B：不用担心，（　　　）按时把您送到。

55.　A：来，我们干一杯！祝贺你们按时完成了任务！

　　　B：谢谢，如果没有您的帮助，（　　　）不会这么顺利。

第二部分

第56-65题：排列顺序。

例如：A 可是今天起晚了

B 平时我骑自行车上下班

C 所以就打车来公司   B A C

56. A 他们本来没打算买这些食品

B 但是超市里提供的小礼物吸引了他们

C 最后这些食品都被"顺便"买回去了   _____

57. A 那些店里卖的东西都还不错

B 宽街两边都是一些小商店

C 有空儿你可以去逛逛   _____

58. A 中国很多年轻人都喜欢"五月天"

B 音乐是他们五个人的共同爱好

C 这个乐队一共有五个热情的大男生   _____

59. A 这是一本很有用的书

B 当你遇到不会读的字或者不知道意思的词语时

C 你都可以查查，它可以帮你更好地学习汉语

60. A 因为这里的山太高，空气比别的地方少

B 但过一段时间之后，就会慢慢适应

C 所以刚到这里的人会感觉身体不舒服

_____

61. A 可是她通过努力，改变了人们这一看法

B 邓亚萍是中国的乒乓球运动员

C 以前很多人认为她并不适合打乒乓球

_____

62. A 为了将来不后悔，不要这么快做决定

B 也许最后你会改变主意的

C 至少应该先去了解一下这个专业

_____

63. A 《人与自然》这个节目一直很受欢迎

B 还可以看到美丽的自然景色

C 通过这个节目，观众不但能学到自然科学知识

_____

64. A 最好的办法就是努力证明自己是正确的

B 不同的人对同一件事的认识可能各不相同

C 如果想让别人同意或者支持你的看法

_____

65. A 它以简单易懂的语言，举例说明生活中的知识

B 《十万个为什么》的内容包括动植物、科技等方面

C 在增长孩子科学知识方面起到了积极的作用

_____

第三部分

第66-85题：请选出正确答案。

例如： 她很活泼，说话很有趣，总能给我们带来快乐，我们都很喜欢和她在一起。

★ 她是个什么样的人？

A 幽默 √   B 马虎   C 骄傲   D 害羞

66. 网球袜和普通的袜子有很大的区别。网球袜一般都很厚，因此它能很好地吸汗。在紧张的网球运动过程中，脚会受到很大的压力，如果选择厚厚的网球袜，就能减少脚底的压力，更好地保护你的脚。

★ 这段话主要讲了选择厚网球袜的：

A 条件   B 原因   C 方法   D 要点

67. "幽默"这个词最早是由林语堂先生翻译过来的，他自己就是一个非常幽默的人，还写过许多关于幽默的文章，因此，他又有"幽默大师"的美名。

★ 关于林语堂，可以知道什么？

A 懂外语   B 收入很低   C 长得很帅   D 是著名演员

68. 中国一共有56个民族，汉族是最大的民族，其他民族因为人数比较少，习惯上被叫作"少数民族"。每个民族都有不同的文化习惯，很多民族还有自己的语言和文字。云南是中国少数民族最多的省，云南民族村还成了那里的旅游特色。

★ 根据这段话，可以知道中国的少数民族：

A 一共有56个   B 都有自己的语言

C 很爱唱歌跳舞   D 有不同的文化

69. 很久以前，中国人认为做梦是上天要告诉人们将来会发生的一些事，因此就试着对各种梦做出解释。例如，一个人梦到很多水，就解释说他将会有很大一笔收入。后来，人们把这些解释写成了一本书，这就是《周公解梦》。

★ 关于《周公解梦》，可以知道：

A 很复杂   B 特别无聊   C 赚了很多钱   D 解释了很多梦

70. 中国人除了自己正式的名字以外，一般还有个小名，小名往往只在家庭和亲朋好友之间使用。跟正式的名字比，小名更活泼、自然，只要父母喜欢，随便叫什么都行。小名一般都比较好听好记，而且多数是两个相同的字，例如"乐乐"、"笑笑"、"聪聪"、"圆圆"、"丽丽"等。

★小名往往：

   A 比较容易记　　　　B 非常浪漫　　　　C 不太受重视　　　　D 被用来开玩笑

71. 足球比赛规定比赛时间为90分钟，分为上下两个半场，各45分钟，中间休息10分钟。如果90分钟后仍然是0比0，按照规定，可以进行加时赛来决定输赢。

★关于加时赛，可以知道：

   A 第二天举行　　　　B 现在已被禁止　　C 不是每场都有　　　　D 一共60分钟

72. 世界上有一种药是肯定买不到的，那就是"后悔药"。有些事情过去了就是过去了，再也不能回头。既然不能重新来过，那么就应该把那些过去的事情放在心里，当成一种回忆，然后勇敢地抬起头向前看，走好以后的路。

★关于"后悔药"，可以知道：

   A 买不到　　　　B 要按时吃　　　　C 味道不好　　　　D 没有说明书

73. 叶诗文是中国著名的女游泳运动员，她6岁时个子就比同龄的孩子高许多，手脚也很大，身体条件非常适合学习游泳，所以老师鼓励她去体育学校学习。尽管她还很年轻，但从2011年开始到现在，游泳比赛就已经获得了许多全国第一、亚洲第一和世界第一。

★老师鼓励叶诗文学游泳，是因为觉得她：

   A 比同龄人聪明　　B 跑得非常快　　C 获得过第一　　　　D 身体条件好

74. 举办这次普通话水平考试研讨会的目的之一，是给大家提供一次交流、学习的机会。所以，我希望有兴趣的同学积极报名参加。学校的网站上有报名通知，大家可以上网看看。

★说话人希望同学们：

   A 不要请假　　　　B 参加活动　　　　C 准时出发　　　　D 按时交作业

75. 生活中会出现各种各样的人，会发生各种各样的事。无论回忆是美好的，还是一想起来就让人伤心的，这些都已经发生。过去的就过去了，不要光看着来时的路，前面的风景其实更美。

★ 这段话主要想告诉我们：

　　A　应该总结经验　　　B　做好工作计划　　　C　别活在回忆里　　　D　记得回来的路

76. 我的同屋马克人很热情，脾气也不错，可总是马马虎虎的。最让人头疼的是，他经常忘带钥匙。有时正当我早早躺下，快睡着时，外面就会响起敲门声，弄得我心情非常不好。虽然他每次都红着脸向我说抱歉、打扰了，可过不了几天，就又能听到他的敲门声了。

★ 马克怎么了？

　　A　经常要加班　　　B　从没走错门　　　C　记不住地址　　　D　总忘拿钥匙

77. 人的一生只有"三天"：昨天、今天和明天。昨天已成为过去，无法改变；明天还没有来到，将来会发生什么，谁也说不清楚。因此，我们能做的就是努力活好现在，那么当今天将要变成昨天时，自己不会感到后悔。

★ 这段话主要想告诉我们：

　　A　要有理想　　　B　今天最重要　　　C　明天是关键　　　D　困难是暂时的

78. 现在使用信用卡的人越来越多，有些年轻人甚至申请了十几张信用卡。信用卡为他们购物带来了很大的方便，但如果因为忘记还款时间，或者经济能力不够，最后不能按时还银行钱的话，就会出现严重的信用问题。

★ 申请了信用卡，人们：

　　A　经常去购物　　　B　担心会弄丢　　　C　常忘记密码　　　D　需按时还钱

79. 很多父母经常会批评孩子，教育他们不应该做什么。其实，每个孩子都更希望得到父母的表扬。根据研究，表扬的作用比批评大得多，效果也更好。一次小小的表扬，甚至可能会影响孩子的一生。

★ 根据这段话，教育孩子时应该：

　　A　有耐心　　　B　常批评　　　C　多表扬　　　D　多研究

80-81.

选择的可能性越多越好，这几乎是人们的共同看法，但是最近的一个研究结果却跟人们的这个看法正好相反。在研究中，超市的一个地方放了 6 种味道的饼干，另一个地方放了 24 种味道的饼干。虽然有 24 种味道的地方吸引的顾客较多，但在有 6 种味道的地方，停下来的顾客中 30% 都至少买了其中一种饼干；而在有 24 种味道的地方，停下的顾客中只有 3% 购买了东西。

★关于那些顾客，可以知道：

A 不喜欢吃饼干   B 买了一种饼干

C 多数没买饼干   D 有共同的看法

★这段话主要想告诉我们什么？

A 不要浪费饼干   B 重视选择过程

C 做好科学研究   D 选择多并不好

82-83.

随着互联网技术的发展，网络购物变得越来越流行。喜欢在网上购物的人认为，在互联网上可以更快地找到自己需要的东西，不用逛商场，不用排队付款，大大节约了时间，而且购物没有时间限制，想什么时候买就什么时候买。但是，也有人觉得网络购物时只能通过卖家的照片和介绍来判断东西的好坏，质量很难得到保证，因此他们不喜欢网络购物。

★如果在网上购物，可以：

A 很快买到   B 获得礼物

C 限制时间   D 省很多钱

★这段话主要谈：

A 互联网的发展   B 网购的优缺点

C 买东西的标准   D 提高照片质量

84-85.

　　一次，我请学生们说说对我的课的看法。"关教授，您教得很好。"有个学生说，"但是您常在课前等那些迟到的同学。"我听了很吃惊，问他："难道这样不对吗？"结果很多学生都叫了起来："不对！"有个学生向我解释说："迟到说明他不尊重别人的时间，您当然也不必尊重他。"只有尊重别人的人，才值得别人尊重。

★学生建议教授：

A　少留作业　　　　　　　　B　按时下课

C　别等迟到的人　　　　　　D　经常表扬同学

★这段话告诉我们要：

A　诚实　　　　　　　　　　B　互相理解

C　学会原谅　　　　　　　　D　尊重他人的时间

三、书 写

第一部分

第86-95题：完成句子。

例如：那座桥   800年的   历史   有   了

那座桥有800年的历史了。

86. 反对   有   这样做   大概   三分之一   的人

87. 发生   原因   任何事情的   都是   有   的

88. 一倍   去年   公司的收入   今年   比   增加了

89. 有什么   两个   词语的   这   区别   用法

90. 她   演员   著名的   是   京剧   丈夫

91. 请问   旁边的   有人   座位   窗户   吗

92. 请把   表格   这些   排好   时间顺序   按照

93. 乘坐的   起飞了   就要   您   航班   马上

94. 免费   减少   环境污染   塑料袋   是为了   不提供

95. 留学   通过了   我的   申请   大使馆   通知我

第二部分

第96-100题：看图，用词造句。

例如： 乒乓球 她很喜欢打乒乓球。

96. 广告　　97.  成功

98. 味道　　99.  修理

100. 表演

© 2015 北京语言大学出版社，社图号 15034

图书在版编目（CIP）数据

HSK 标准教程 4 下 . 练习册 ／ 姜丽萍主编 . —— 北京：
北京语言大学出版社，2015.4（2019.4 重印）
ISBN 978-7-5619-4144-7

Ⅰ. ① H… Ⅱ. ①姜… Ⅲ. ①汉语－对外汉语教学－
水平考试－习题集 Ⅳ. ① H195

中国版本图书馆 CIP 数据核字（2015）第 058573 号

HSK 标准教程 4 下 练习册
HSK BIAOZHUN JIAOCHENG 4 XIA LIANXICE

中文编辑：王 轩		英文编辑：侯晓娟	
装帧设计：李 政 李 佳		排版制作：北京创艺涵文化发展有限公司	
责任印制：周 燚			

出版发行：北京语言大学出版社
社　　址：北京市海淀区学院路 15 号，100083
网　　址：www.blcup.com
电子信箱：service@blcup.com
电　　话：编辑部　　8610-82303647/3592/3395
　　　　　国内发行　8610-82303650/3591/3648
　　　　　海外发行　8610-82303365/3080/3668
　　　　　北语书店　8610-82303653
　　　　　网购咨询　8610-82303908
印　　刷：保定市中画美凯印刷有限公司

版　　次：2015 年 4 月第 1 版　　　印　　次：2019 年 4 月第 8 次印刷
开　　本：889 毫米 × 1194 毫米　1/16　　印　　张：7.75
字　　数：144 千字
　　　　　03500

PRINTED IN CHINA